Le bruissement du temps

ou

Le dynamisme du vieillissement

Ce livre a bénéficié des subventions du ministère des Affaires culturelles du Québec et du Conseil des Arts du Canada.

Montage et correction : Monique Dionne
Maquette de la couverture : Raymond Martin
Illustration : détail d'une ancienne lithographie chinoise
             tirée de la *Série Kaempfer*
Distribution : Diffusion Prologue

Dépôt légal : B.N.Q. et B.N.C., 4e trimestre 1992

ISBN : 2-89031-154-6

Marcelle Brisson

Le bruissement du temps

ou

Le dynamisme du vieillissement

Triptyque

Introduction

Vieillissement plutôt que vieillesse

*Nous sommes tous résignés à
la mort, c'est à la vie que nous
n'arrivons pas à nous résigner.*

Graham Greene

Lorsque au mitan de ma vie j'ai décidé de réfléchir sur l'âge, mon objet fut non la vieillesse mais le vieillissement. La vieillesse, c'est avant tout un état où l'on s'installe après avoir vécu un temps assez long — mais à quel moment, au juste, peut-on le dire? — tandis que le vieillissement est la réaction de n'importe quel organisme vivant au passage du temps sur lui. Celui-ci en appelle au dynamisme de l'être humain et mobilise ses forces pour la vie, de la naissance à la mort; celle-là est déterminée par des institutions, des modèles et des stéréotypes que les hommes et les femmes subissent selon les civilisations et les époques. Vieillir est un destin inéluctable, certes, mais Sisyphe peut le saisir et lui donner un sens; la vieillesse, elle, est proclamée par le regard de l'autre — individu ou institution —, elle cristallise l'irréversibilité du fait de vieillir sans retenir le mouvement qui fait corps avec lui, elle captive ceux que la société lui désigne pour les déparer des autres. Qu'on appelle les vieillards les vieux, les retraités, le troisième ou quatrième âge, selon l'indulgence ou la dureté d'une époque, le problème n'est pas là. Il est dans la catégorisation arbitraire de personnes vivantes. Cette procédure s'applique également aux jeunes, mais alors elle a le mérite de suivre jusqu'à un certain point le développement physique des individus et de ne pas avoir un caractère aussi définitif. Pour les vieux, elle ne tient pas compte de l'âge biologique ni de la personnalité: un même édit social, la retraite, les assigne une fois pour toutes à la vieillesse. Certes, il est impossible de rejeter d'un seul coup toute classification. Les gérontologues le savent bien, eux qui cherchent à améliorer le sort des personnes âgées; ils ne peuvent souvent qu'affiner des classifications déjà mises en place par les structures sociales, sans se priver pour autant de les critiquer.

Justement, j'opte ici pour une réflexion plus radicale sur le vieillissement, le fait de prendre de l'âge, ou *the aging* des Anglo-

Saxons, qui a l'avantage d'être plus neutre et plus en accord avec la tradition philosophique qui relie le temps... Plus radicale, car elle concerne tous les humains: nous vieillissons dès notre naissance. Elle les concerne donc comme individu, avant même que les catégorisations institutionnelles les groupent à la fois pour les secourir et leur jeter l'anathème. C'est pourquoi cette réflexion peut rejoindre les secrets du cœur de chacun et l'inviter à une pensée plus personnelle en marge des lieux communs et des catégories sociales; faire jaillir en lui l'idée d'un «temps organique» d'une «durée qualitative[1]» qui peut le construire pendant toute sa vie s'il s'en fait un allié et s'il reconnaît publiquement les effets de ce temps dans un monde où tout concourt à l'occulter. «Il faut prendre son âge comme il vient... Tant qu'on se sent vieillir, on n'est pas vieux», disait Charles Aznavour[2]. On demeure dans la mouvance du temps. Vieillir fait partie de la condition humaine. Mais je considérerai davantage le vieillissement des aînés, surtout à partir de la cinquantaine, car ce sont eux qui, au seuil de la vieillesse et de la mort, risquent le plus de refuser le dynamisme du vieillissement qui est toujours le fait de la vie.

On comprend, dès lors, que je préfère parler de vieillissement plutôt que de vieillesse. Et plutôt que de mort aussi. Il ne s'agit certes pas de se cacher le fait de la mort. L'être humain est mortel, oui, et il ne doit pas tricher avec cette évidence. C'est bien, comme on l'a souvent dit, cette conscience de son être mortel qui le distingue radicalement de l'animal. Mais il n'est pleinement humain qu'en assumant sa vie, et d'abord en pensant sa vie. En pensant aussi le vieillissement qui est une forme de vie. Et la réflexion que je propose ici est gouvernée par l'idée qu'une méditation sur la mort ne doit pas compromettre une méditation sur la vie. Davantage, il me semble que faire droit à la vie interdit de la mêler à la mort : j'essaierai de montrer que la mort n'est pas une entité active dans la vie.

Est-ce à dire que je récuse le concept d'entropie? On connaît la fortune de ce concept: les sciences de la nature s'accordent à penser que tout système physico-chimique est voué sans appel à une désintégration et à une dispersion; l'énergie se dégrade, l'hétérogène sombre dans l'homogène. Mais comment oublier qu'à l'entropie la vie ne cesse d'opposer une activité qui suspend l'entropie? L'organisme n'est pas un organe: il se défend contre l'entropie, jusqu'à la mort, qui est bien l'avènement du désordre moléculaire. Mais tant qu'on considère le vivant en tant que vivant, l'entropie n'est pas un concept pertinent. Et le vieillissement lui-même n'est pas non plus justiciable de l'entropie.

Je situe donc le vieillissement dans la dynamique du vivant. Telle est ma position initiale. Mais l'être humain n'est pas un vivant quelconque, il est cet animal raisonnable et politique dont parlent les philosophes. Il est doué de cette intelligence qui le rend capable de percevoir sa situation de vivant singulier. À ce titre, il peut intervenir, seconder l'organisme qui s'équilibre au fur et à mesure de ses pertes, et raviver ses pouvoirs qui le spécifient comme vivant. Aussi lui faut-il se connaître non seulement dans sa réalité personnelle, mais aussi dans son cheminement temporel; il lui faut prendre conscience des transformations qu'il subit au cours des ans s'il veut composer avec les pertes encourues et inventer des façons d'être qui correspondent aux énergies dont il dispose.

Cet essai comporte deux parties distinctes. La première, plutôt théorique, qui appelle à la prise de conscience du vieillissement, dénonce les obstacles qui s'y opposent. Ces obstacles viennent d'abord de l'idéologie dominante qui survalorise l'image de la jeunesse : splendeur du corps, éclat de l'esprit, efficacité de l'action. Le modèle «jeune» envahit le monde du travail et des loisirs où l'excellence de la forme est requise : pas de place pour la fatigue, la maladie, les états d'âme et de corps. On s'efforce donc de camoufler les marques du temps sur soi quand on sait qu'elles provoquent un rejet du monde social. Mais en même temps, on est tenté d'accorder foi à cette vieille idée ancrée depuis des siècles dans l'inconscient collectif : la mort est en chacun comme une bête dévorante qui ronge les forces de la vie. Certes la mort est inéluctable et, comme je le disais plus haut, de la méditer appartient à la condition humaine; mais elle n'habite pas le vivant comme une force agissante en lui. D'étudier de plus près les différentes étapes d'une rhétorique de la mort qui a envahi le monde de la pensée occidentale m'a semblé important pour dédramatiser l'idée de la mort. L'idée aussi de maladie qui, même lorsqu'elle n'est pas mortelle, fait peser une menace de mort. En tout cas, cette idée bloque souvent la prise de conscience du vieillissement, lorsqu'elle invite à appeler «maladie» des phénomènes propres à l'usure du temps.

Tant que le vivant est en vie, sa survie est assurée par le dynamisme de l'organisme qui se réorganise au fur et à mesure des pertes qu'il subit. Cette idée est au centre de ma démarche; j'essaie de l'appuyer sur des études scientifiques. Elle appelle aussi à réfléchir sur la permanence d'un «je» à travers les vicissitudes du temps et les changements qui graduellement s'opèrent dans la personnalité. Pas d'avenir pour un sujet qui se liquéfierait ou qui perdrait toutes ses possibilités d'être actif.

La deuxième partie de cet essai s'adresse à qui veut inventer pour son propre compte un art de vieillir. Elle évoque quelques situations existentielles à propos desquelles l'opinion, et parfois le savoir, incline à durcir l'opposition entre jeunesse et vieillesse, et elle tente de montrer comment cette opposition peut au contraire être atténuée. Soit par exemple la sexualité. On croit volontiers que la jeunesse est tout feu tout flammes et que la vieillesse n'est que braises et cendres. Mais qui, voulant prendre sa vie en main, y regarde de plus près, voit que ce qui est vécu n'est pas si simple: il y a des corps inhibés et des cœurs ardents à tout âge. Certes, les Harold et Maud qui démentent radicalement le stéréotype traditionnel sont rares, mais il est fréquent que la sexualité se situe en des lieux intermédiaires entre les extrêmes que lui désigne le préjugé. L'art de vieillir consiste à déterminer ces lieux, à voir les possibles qu'offre chaque situation. À chacun, donc, de choisir son parcours «entre flammes et braises», de butiner çà et là «entre aventure et coin du feu», et de faire son miel de ce qui l'a séduit.

Irréversible est le passage du temps; on parle alors de lui en terme de destin: *Chronos* dévorant ses enfants! Mais Chateaubriand, évoquant une des dernières œuvres de Poussin, *Le déluge*, parle de «l'admirable tremblement du temps» pour exprimer la beauté intense de cette œuvre. On n'interrompt pas le cours du temps, mais on peut jouer sur ses plages: créer et se recréer; c'est à cette tâche qu'une réflexion sur le temps nous convie.

Première partie

Dynamisme du vieillissement

I

CONNAIS-TOI TOI-MÊME

La plupart des gens vieillissent en pleine lumière sans apercevoir les ombres annonciatrices du temps qui les marque. Puis soudain, à leur plus grande surprise, ils sont relégués dans le continent gris de la vieillesse. Certes, entre les deux états, il y a une conscience au moins obscure de perte d'énergie, de fatigue, d'usure. Mais ce sont alors les mots de la maladie qui viennent le plus souvent à leurs lèvres pour exprimer ce mal d'être. Ils entendent aussi le murmure de ceux qui commencent à parler d'eux comme des «ci-devant»..., mais ils font la sourde oreille. Et lorsque parfois ils tremblent pour un amour en se voyant dans une glace... vite ils ont recours à des crèmes ou font appel à la chirurgie pour «réparer des ans l'irréparable outrage».

Pourtant, n'y a-t-il pas de nombreux avantages à admettre, jeune encore, son vieillissement? Celui-ci n'est-il pas le signe de l'état de vivant? Pas d'autre alternative à la mort que de vieillir. Et puisque l'humain est doté de raison, pourquoi son intelligence capable d'anticiper le temps se fixe-t-elle tout droit sur la mort, sans accompagner le travail obscur de la vie qui, certes, s'accomplit sans lui, mais auquel il pourrait prendre une part entière? Cette vie ne réclame-t-elle pas d'être saisie, comprise, réinventée sans cesse?

À être conscients de notre vieillissement nous sommes pourtant appelés par la célèbre formule au fronton du temple de

Delphes: «Connais-toi toi-même». Et peut-être cette connaissance première est-elle enfouie dans l'énigme que la Sphynge pose à Œdipe: «Quel est l'être qui, au matin, marche à quatre pattes, au midi sur deux et au soir sur trois?». Car nous ne sommes pas seulement cet être dressé sur ses deux jambes et sûr de lui. Nous nous sommes traînés, comme des bêtes: notre enfance émerge de l'animalité. Et puis nous serons un jour cet être à trois pattes: un *monstre*. Ainsi, dès l'aube grecque de notre histoire, apparaît une vision tératologique de la vieillesse, le besoin d'un bâton — on dirait aujourd'hui d'une prothèse — étant alors considéré comme contraire à la *nature* du vivant humain. Nous ne regardons pas volontiers le «monstre» en soi, toute la tradition de l'Occident en témoigne. Nous y reviendrons à plusieurs reprises. Mais se détourner du monstre peut être une stratégie *délibérément* pratiquée par certains individus.

Bien des gens, en effet, refoulent les symptômes du vieillissement, comme ils tentent de le faire pour ceux de la maladie. Ils n'acceptent pas de se voir dans leurs faiblesses. Ils ont peur. Ils entrevoient les premières atteintes de l'âge, mais ne veulent absolument pas en tenir compte: demeurons actifs, disent-ils, vivons le présent, faisons comme si nous avions toujours la même forme. Certains vont jusqu'à récuser le mot «vieillissement». Je distinguerais deux attitudes chez ces gens. Les uns, surtout des hommes, continuent d'être à la remorque d'une idéologie spiritualiste souvent janséniste où s'affirme encore le dualisme corps-esprit. Pour eux le refus du vieillissement est avant tout un refus du corps, cette partie vile et basse de l'être. Le corps doit être maîtrisé, dirigé, réprimé même par l'esprit qui sait juger de la pertinence de ses réclamations et lui accorder juste ce qu'il faut pour le transformer en bon serviteur. Donc inutile de porter attention au corps au fur et à mesure qu'il vieillit. Comportements puritains qui ont disparu de nos mœurs, me direz-vous? Pas complètement et pas sans avoir laissé bien des traces dans l'inconscient des gens. Combien vantent le courage de ces personnes qui ne s'écoutent pas au moindre mal, qui s'abstiennent de nous raconter leurs petits bobos et se cachent pour souffrir. Il y a une certaine grandeur dans leur attitude et c'est plus à eux qu'à nous qu'ils font tort en écartant systématiquement la prise de conscience de leur vieillissement.

D'autres, beaucoup plus dans l'air du temps, et plus nombreux — peut-être davantage des femmes —, surestiment les pouvoirs du corps au point de nourrir les espoirs les plus fous à son égard. Il ne faut surtout pas se laisser impressionner par l'âge chronologique — le taire et le cacher relève de l'évidence — mais être à l'affût de toutes les fontaines de Jouvence, cultiver sa forme à l'aide de programmes de conditionnement physique sophistiqués, suivre les régimes les plus appropriés. Un jour viendra... — et ici on ne pense ni à la mort ni à la déchéance — où l'on saura régénérer les cellules et prolonger indéfiniment la vie! On ne veut pas croire au vieillissement parce qu'on croit trop à la vie dont la plénitude rayonne dans un corps qui sait se garder en forme. Seul un peuple jeune, dynamique, puissant, pouvait engendrer une telle idéologie. Aussi nous vient-elle tout droit des États-Unis pour qui le passé existe peu et dont toute la «prodigieuse carrière historique peut être vue comme un galop incessant vers une terre promise: le royaume (ou plutôt la république) du futur. Une terre qui n'est pas faite de terre, mais d'une substance incandescente: le temps. Dès qu'on le touche, le futur se dissipe, mais pour apparaître à nouveau un peu plus tard, un peu plus loin![1]» Cette projection continuelle vide le présent de son contenu et aboutit à un monde irréel. Les Américains sont de moins en moins ces puritains qui peuvent tenir le premier discours que je viens d'évoquer. Un certain hédonisme les axe sur le présent, mais d'une façon paradoxale. En effet, comme la recherche du plaisir suit le cours mobile des objets de consommation, elle les pousse toujours plus en avant, de telle sorte que leur rapport au temps demeure fluide, sans consistance, irréel. Un lieu de rêves et d'espérance infinis: le monde des étoiles. Pourquoi, dans ce contexte, tenir compte du corps vieillissant? Le destin du corps, ce n'est pas la mort mais la régénérescence. Cette idéologie, on ne la retrouve pas seulement aux États-Unis. Les Américains l'ont exportée en même temps que leurs produits, leur technologie, leur armée. Aussi la voit-on à l'œuvre un peu partout dans un monde qui est plus en quête de fontaines de Jouvence que soucieux d'intégrer le vieillissement dans la vie.

Vient un moment, cependant, où ceux qui se fermaient systématiquement les yeux sont obligés de les ouvrir: lorsque les déficiences physiques et psychiques prennent le dessus, lorsque les deuils d'êtres chers se multiplient, lorsque la perte de ses illusions et de ses idéaux laisse sans espoir. Et toujours ce regard de l'autre qui vise le monstre en soi! Ces individus risquent alors de craquer! Non, je préfère être consciente ponctuellement (mais pas à chaque instant!) du temps qui me marque, et instaurer avec moi-même et les autres des stratégies qui en tiennent compte. Après tout, l'âge — biologique et chronologique — est une donnée de mon être: je ne veux pas le récuser. Mon identification est à ce prix. Pas de dynamisme du vivant qui ne s'enracine dans sa durée. Et celui qui marche sur deux pattes a tout intérêt à apprivoiser le monstre qui approche et à relativiser ses atteintes. Peut-être pourrais-je alors dire, avec le héros de Marguerite Yourcenar: «Simon Adriansen vieillissait. Il s'en apercevait moins à la fatigue qu'à une sorte de croissante sérénité.»

En dépit de ceux qui veulent l'ignorer, je pense donc qu'il est important de prendre conscience de son vieillissement. Mais ce n'est pas aussi aisé qu'on pourrait le croire, car les difficultés de cette entreprise viennent à la fois de la société en général, de ses discours, de ses idéologies, de ses mythes, et de l'être propre à chacun, peu enclin à percevoir l'action du vieillissement qui s'accomplit ordinairement en sourdine.

II

«L'ÂGE AVANCÉ MASQUÉ»

... et malheur à celui qui ouvrira
la boîte de Pandore.

Xavier Gaullier

La société ne facilite pas la perception progressive de notre vieillissement. D'une façon générale, elle organise notre vie à travers ses institutions: famille, école, travail, etc., de telle sorte que le temps vécu par les individus s'inscrit dans le temps structuré par la collectivité, ordonné au mythe, à l'histoire ou au progrès, selon les lieux et les époques. Cette société fixe les principaux âges de notre vie en inventant des rites de passage pour les célébrer: naissance, puberté, mariage, diplômes et cartes de compétence, retraite, mort. Déjà l'arbitraire est à l'œuvre dans la fixation de ces âges, car le temps biologique ne coïncide pas toujours avec la chronologie imposée par l'âge. Mais les instances collectives ne se soucient pas d'un langage pour exprimer le vécu subjectif du vieillissement.

À notre époque, en Occident, le néo-capitalisme axe notre vie et notre activité sur la production-consommation de biens de survie, d'appareils de communication, d'objets techniques qui améliorent notre confort et de gadgets plus ou moins luxueux dont la possession élève notre standing. Ce n'est plus l'usure des objets qui impose de les remplacer, ce sont les impératifs d'un marché qui sans cesse nous sollicite à consommer davantage afin d'activer la production. Le temps est alors caractérisé par un déroulement rapide, voire accéléré, qui déteint sur nos comportements. On n'a plus le temps de... Pour être dans le vent, il faut vivre au rythme d'une hyperproduction et d'une surconsommation qui forment pour ainsi dire le tissu de notre vie. Même si ce système tend aujourd'hui à faire place à l'individu, les nouvelles données qui apparaissent s'intègrent dans sa structure sans la modifier vraiment. De la naissance jusqu'à la retraite, l'organisation économique et sociale impose un rythme artificiel. Les valeurs de ce système sont le travail et le profit, la santé, le tout-nouveau, le vite fait, le présent, la jeunesse, la préretraite. Les jeunes arrivent sur le marché du travail de plus en plus tard et le quittent de plus en plus tôt; par conséquent, la préretraite permet non pas tant d'assurer une main-d'œuvre plus compétente — comme on tente de le faire croire —, mais de régler des conflits sociaux et des problèmes de chômage provoqués par de nouvelles technologies et des périodes de crise. À ses débuts, cette société rejetait la vieillesse, mais, alertée par les spécialistes, elle essaie aujourd'hui de mieux la régir, car elle risque de coûter cher. Cette façon de faire ne nous aide pas à réfléchir au vieillissement. Tout au contraire, la société s'efforce de l'occulter jusqu'au moment où, par la retraite, elle nous proclame vieux. Elle nous confère alors un dernier statut qui nous enferme dans des modèles trop rigides: ils bloquent les possibilités pour chacun d'inventer un vieillissement singulier.

Dans cette opération qui nous distrait du vieillissement, la société trouve des complicités en chacun de nous. Nous étudierons de plus près les croyances et les langages qui tirent un rideau sur la question du vieillissement avant même qu'on se la pose, mais déjà je veux laisser entrevoir combien il est difficile pour chacun de prendre conscience de son propre vieillissement.

Avec les ans, nous arrivons à ne plus nous voir nous-mêmes. Il n'en était pas ainsi dans notre enfance ni dans notre adolescence, car la croissance physique manifestait d'une façon spectaculaire le travail du temps. Alors, notre évolution psychique et intellectuelle, sanctionnée par l'école, ne cessait de nous dire que le temps travaillait pour nous: il nous faisait grandir et progresser, et même si ce devenir adulte était déjà une première étape du vieillissement, nous en prenions conscience sous la forme d'un progrès. Puis quand nous avons atteint notre maturité, ce à quoi nous étions attentifs, c'était aux multiples activités professionnelles qui nous sollicitaient: le temps alors semblait n'avoir de sens que pour scander le rythme de ces activités et les mener à bonne fin. Le temps était donc avant tout la mesure de nos réalisations et de notre ascension sociale: périodes de probation et date d'obtention de la permanence, de telle promotion, etc. Le temps était de l'argent, et non l'agent du vieillissement! Vieillir n'était plus grandir, mais *arriver*. Les vicissitudes de notre vie qui auraient pu nous alerter étaient vite intégrées par les codes sociaux.

En fait, le vieillissement biologique, une fois la croissance terminée, ne reçoit pas de nom, mais il ne passe pas tout à fait inaperçu. Le corps doit être avant tout «forme» et «*look*», et un look jeune. Hélas, toujours ces rôles que nous jouons et qui nous limitent à un moi étriqué. C'est à notre histoire personnelle qu'il nous faudrait revenir, à un *je* qui est à la fois l'expression de notre durée depuis notre conception jusqu'au moment présent, et à des projets qui donnent son sens à notre vie. C'est à ce *je* qu'il appartient d'établir un équilibre entre les exigences du corps biologique qui vieillit, celles de la carrière plus ou moins stabilisée, celles des loisirs qui nous sollicitent, celles des amours anciennes ou nouvelles. Comment y arriver? Même le corps biologique se voit imposer les modèles artificiels de la publicité commerciale: les vedettes du sport, du show-business, les mannequins. Pensons un peu à ce que les entraîneurs et les agents de publicité font subir au corps de ces stars! Mais jusqu'où faire droit aux exigences de l'organisme? Notre psyché, elle, désire à bon droit des rêves et des fantasmes! Revenir à un moi secret? Mais où le découvrir? Aujourd'hui, non seulement le privé, mais encore l'intime est public. Y a-t-il pour autant des images stimulantes du moi vieillissant où le poids des ans se transformerait en espérance? Elles ne scintillent pas comme des étoiles à l'horizon de notre âge! Aussi, tant que la santé va de soi, qu'elle est pour nous la «vie dans le silence des organes», tant que vieillir ne pose pas de problèmes spécifiques, nous n'entendons pas les murmures du temps, nous ne ressentons pas ses touches sur notre corps et notre esprit. Ordinairement, nous refoulons même l'angoisse que ne peut manquer de susciter une vie inscrite dans le cours du temps. Ce n'est que poussés à l'extrême que nous identifions l'*anankè*, cette nécessité contraignante de l'âge qui nous marque: notre destin.

III

LE VIEILLISSEMENT N'EST PAS
UNE MALADIE

Vous me regardez, Monsieur, comme un malade qu'il ne faut pas chagriner, et vous ne vous trompez pas... L'ouïe me manque, ma vue s'éteint, je n'ai plus de jambes, et je ne saurais monter ou descendre qu'appuyé sur le bras d'autrui.

Boileau

Une autre difficulté à penser le vieillissement réside dans le fait qu'on le confond parfois avec la maladie. Cette confusion revêt deux aspects. Ou bien un phénomène masque l'autre: soit qu'on se croie malade alors qu'on est seulement atteint par l'âge, soit qu'on se croie vieux alors qu'on est tombé malade. À la fin, on ne croit ni au vieillissement ni à la maladie. Ou bien on identifie un phénomène à l'autre et, singulièrement, la vieillesse à la maladie. Cette identification est le plus souvent opérée par ceux qui se résignent mal à vieillir: le vieillissement leur apparaît comme un mal, c'est-à-dire comme une maladie, qu'on devrait, par conséquent, pouvoir guérir.

Ce qui provoque cette confusion, sans la justifier, c'est le fait incontestable que la vieillesse est souvent associée à la maladie. L'organisme devient plus fragile à mesure qu'il vieillit, il a moins de ressources pour résister aux agressions du milieu. Mais cette fragilité progressive est elle-même relative: certaines maladies graves, comme le cancer, prennent une forme plus bénigne lorsque le malade est âgé; d'autres, comme les maladies aiguës, diminuent sensiblement. Pourtant, cette fragilité demeure un terrain favorable à une «polypathologie» dont Bernadette Veysset dit qu'«elle est la caractéristique la plus spécifique de la vieillesse[2]». Terrain favorable à ce que cette auteure appelle la métamorphose de «la maladie circonscrite en maladie totalisante[3]». Mais il y a encore des vieillards en bonne santé qui nous enseignent que ce n'est pas parce qu'on est vieux qu'on tombe malade.

Il n'existe donc pas de relation de causalité stricte non plus que de relation d'identité entre vieillesse et maladie. La vieillesse est normale, elle n'a rien de pathologique. Non seulement le vieillissement est la règle de l'évolution du vivant aussi longtemps que la mort n'y met pas un point final, mais il est normatif: l'organisme vieillissant garde toujours quelque chose des exigences et des capacités qui lui permettent d'être en relation d'équilibre avec son milieu. Seule la maladie est proprement pathologique. Elle fait violence à l'organisme vivant; on tombe malade, alors qu'on ne tombe pas vieux. L'accord avec le milieu est rompu; le comportement de l'organisme est alors catastrophique. Le malade devient un autre homme, une autre femme; il n'est plus capable que de vivre une vie rétrécie dans un monde qui lui paraît obscur et hostile, alors que l'homme en santé est, selon Canghilhem, «plus que normal»: il court des risques, surmonte spontanément les crises, s'invente de nouvelles normes. Le malade, lui, se sent diminué. Et c'est ainsi qu'il en appelle au médecin: il veut guérir.

Le vieillissement n'est pas pathologique; il ne crée pas pour l'organisme une situation catastrophique, il ne dérègle pas le comportement. Il produit ses effets lentement, presque imperceptiblement; peut-être l'individu observe-t-il certains paliers, mais ce ne sont pas des crises qui les lui révèlent, même si la maladie accélère parfois le vieillissement. Ce qu'il éprouve, c'est que ce «plus» qui constitue la santé s'amenuise progressivement: il est plus vulnérable, plus soucieux de maintenir la stabilité des situations et d'éviter les dangers. Certes, parfois, cette baisse de régime a l'allure d'une maladie, et elle peut conduire à la mort. Ne dit-on pas de certains vieillards qu'ils sont morts de vieillesse? Mais cette expression ne signifie nullement que la vieillesse est mortelle à la façon d'une maladie; elle signifie seulement que ces individus ne sont pas morts de maladie infectieuse déclarée, qu'ils ont vieilli sans être vraiment malades ou en guérissant de leur maladie, et qu'il se sont «éteints». De la vieillesse on ne guérit pas, il n'y a pas de guérisseur à qui faire appel.

Aujourd'hui pourtant, des gérontologues offrent leurs services. Tout ce qu'ils peuvent faire, c'est d'aider leurs clients à bien vieillir et, avant tout, à prendre en main leur vieillissement: ces clients ne sont pas des patients aux abois, leur vieillesse n'est pas une maladie. Tout au plus pourrait-on dire avec Galien, pour souligner le caractère ambigu de la vieillesse, qu'elle est à mi-chemin entre santé et maladie. Il importe de la penser et de la vivre dans sa spécificité.

S'il arrive bien souvent qu'on ne pense pas la vieillesse, c'est qu'on ne sait pas comment en parler, il nous manque un langage approprié. Certes, les gérontologues, de plus en plus nombreux dans notre société vieillissante, en parlent, de même que les médias; la télévision en particulier fait une large place à la gérontologie, pendant la journée, dans des émissions où le public est invité. Mais ce langage n'a pas encore pénétré le milieu des personnes âgées. Et c'est peut-être pour cela aussi que celles-ci sont plus vulnérables à certaines maladies. Car la maladie fournit un langage de substitution à ceux qui ne peuvent ni ne savent parler de leur vieillissement. «Dans la maladie, dit B. Veysset, le vieux dialogue avec son corps...[4]». Il dialogue aussi avec le médecin, plus proche, mieux connu que le gérontologue, et il a davantage l'habitude du langage médical. Enfin, dit encore B. Veysset: «il dialogue avec les autres: c'est le sujet qui est malade, mais il est malade aux yeux de la société. Chaque société fixe les modalités de la maladie et propose aux malades un comportement. Si notre société ne demande rien à ses vieux, si elle ne leur propose pas de rôle, si elle les désocialise, bref, si elle ne fait pas de place à la vieillesse, elle est par contre très bien organisée en ce qui concerne la maladie. Le vieux est relégué, mais le malade est un personnage social. Il a un statut. Ainsi, la maladie peut être la seule réponse que le vieux trouve à une rupture sociale qu'il ne peut négocier[5].» Faire place à un langage sur le vieillissement, élaborer un tel langage, ne serait-ce pas une façon de prévenir certaines maladies? En tout cas, c'est permettre à tous et chacun de *vieillir* ouvertement dans la société, sans recours à des faux- fuyants.

IV

LE VIEILLISSEMENT, UNE MORT ANTICIPÉE?

*Il n'est pas juste de parler d'un rap-
port à la mort: le fait est que le vieillard — comme tout homme — n'a
de rapport qu'avec la vie.*

Simone de Beauvoir

*Mélanie, il ne faut pas penser à la
mort. La mort est une chose quelque part inventée par les hommes
pour oublier et se soustraire à la
réalité.*

Nicole Brossard

Mettre le vieillissement sur le compte de la mort prochaine,
c'est une autre façon d'éviter de le penser. Depuis le XVe siècle
s'est développé un discours qui ressasse le thème de la mort à
l'œuvre dans la vie. Comme si la mort était, au fond de nous, une
entité agissante qui nous mine sournoisement, nous affaiblit, nous
tue à petit feu, s'attaque aux forces vives de notre être, gagne du
terrain, triomphe dans la maladie et les «coups de vieux», nous

livre un dernier combat dans l'agonie pour nous terrasser enfin en extirpant notre dernier soupir. Les écrivains ont multiplié les images: «Vivre c'est mourir». «Vous êtes en la mort quand vous êtes en la vie...» (Montaigne). «La vie après tout, de la naissance à la mort, est une longue destruction...» (Francis Bacon). «En nous, la mort s'installe par paliers et nous demeurons en ce monde comme déjà séparés de lui...» (Jouhandeau). «Chaque jour, j'observe la mort à l'œuvre dans le miroir...» (Cocteau). Cette rhétorique de la mort a tellement pénétré notre inconscient collectif que celui qui réfléchit à une action secrète de la mort en soi a le sentiment d'accéder à la pensée profonde. Ce serait là une preuve de culture.

Eh bien, non. Vivre, ce n'est pas mourir. On ne meurt qu'une fois et sans en faire jamais l'expérience. Comme Épicure l'a dit: «Si tu es, la mort n'est pas; si elle est, tu n'es pas.» La mort est une non-vie, l'envers de la vie, rien. Encore plus, aucune représentation anticipée de notre propre mort n'est possible, comme l'affirme Freud: «Le fait est qu'il nous est absolument impossible de nous représenter notre propre mort, et toutes les fois que nous l'essayons, nous nous apercevons que nous y assistons en spectateurs[6].»

Et pourtant nous ressentons tous dans notre existence, à un moment donné, le vieillissement sous la forme tragique de la fin de la vie: la mort. C'est cette femme très belle qui voit à trente ans sa première ride: pour elle, c'est déjà la décomposition de son corps! C'est le héros de Thomas Mann dans *Mort à Venise* qui, sur un fond d'affaissement de la ville et dans l'atmosphère du choléra qui y sévit, découvre, à travers son amour pour un adolescent, son âge, sa lourdeur et sa fragilité: son désir érotique se transforme en désir de mort. C'est Monsieur de Rancé qui, à la mort de son amie, abandonne une vie mondaine pleine de succès pour se réfugier à La Trappe où il convertira ses frères en «pieux suicidés». C'est la duchesse de Langeais que Balzac fait se retirer à trente ans. C'est Greta Garbo qui, encore jeune, décide de ne plus paraître à l'écran.

Est-ce légitime de saisir son être mortel à partir d'un indice de vieillissement? Oui, comme cela se passe à l'occasion de la mort d'un être cher ou d'une catastrophe ou même d'un spectacle tragique. La mort est un fait inéluctable: tout vivant se désagrège un jour et retourne à la terre. La perte totale de notre individualité peut donc être suggérée par une perte parcellaire qui affecte notre corps ou notre psyché. Rien d'étonnant alors à ce que le vieillissement fasse *à l'occasion* penser à la mort. Mais il y a une différence énorme entre se reconnaître comme mortel, et même apprivoiser la mort par la pratique des rites sociaux qui l'entourent, et identifier le vieillissement comme *l'œuvre de la mort en soi!* Comment le langage de la mort a-t-il ainsi envahi le monde de la vie? À la faveur de quelles circonstances historiques s'est opérée son infiltration dans la littérature et les arts?

Pendant des siècles, l'Occident chrétien, pour n'étudier ici que celui-ci, vit dans la familiarité de la mort. *Et moriemur*, tous nous mourrons. Mais sans pour autant en être bouleversés. Car les rites et les cimetières situés à l'ombre des églises apprivoisent la mort et, tout en maintenant les défunts dans la communauté, ils les gardent à une distance raisonnable; surtout ils les assignent à résidence dans un lieu qui les protège de l'errance. Il n'est pas question de situer la mort dans la vie.

Comment notre perception de la vie s'est-elle transformée au profit d'un travail de la mort? Suivons l'itinéraire que nous trace Philippe Ariès dans ses études sur la mort[7]. C'est vers le XVe siècle que l'idée de «la mort à l'œuvre dans la vie» s'enracine dans les esprits par la médiation des *transis* qui représentent, à travers les images du cadavre, de la charogne, la mort comme décomposition. Certes, chez Charles d'Orléans, au début de ce XVe siècle, il n'est pas encore question d'assimiler l'œuvre du temps à celle de la mort:

«Jeunesse sur moy a puissance Mais Vieillesse fait son effort...»

Toutefois, les changements vont s'opérer subtilement. On peut les noter à travers les strophes d'un poème de P. de Nessen. D'abord, la mort est en dehors de la vie :

Et lors que tu trespasseras
Dès le jour que mort tu seras
Ton orde char commencera
À prendre pugnaise pueur...,

puis ensuite elle est à l'œuvre au sein du vivant:

Chacun conduit (du corps)
Puante matière produit
Hors du corps continuellement

et cela, dès sa conception:

        O très orde conception
        O vil, nourri d'infection
        Dans le ventre avant la naissance

                       Paraphrase sur Job[8]

À la fin du XVe siècle, l'individu semble se considérer comme en sursis; la «charoigne» est toujours présente en lui pour miner ses plaisirs et ses ambitions. Ce sentiment s'appuiera dans la suite sur les philosophes grecs qu'on retrouve à la Renaissance. Ici, deux traditions différentes: celle de Platon qui sous-tend le discours religieux: la vie «n'est qu'un flux perpétuel à la mort[9]», et surtout celle des stoïciens qui affirment la grandeur de l'humain dans l'amour raisonnable des plaisirs et la maîtrise de la volonté face à l'adversité et à la mort. Leur principal héritier est Montaigne pour qui «le but de notre carrière, c'est la mort»: «Philosopher c'est apprendre à mourir[10].» Sans doute, la Contre-Réforme interviendra-t-elle dans l'emploi de ce thème païen pour lui conférer un sens religieux. Qu'on pense ici à l'*Imitation de Jésus-Christ* et aux *Exercices* de saint Ignace[11]. Après la Renaissance, d'humides, les *transis* deviennent secs: squelettes, ossements, têtes de mort, etc., et montrent le cadavre, ou ce qui en reste, après la décomposition. C'est ainsi qu'ils se répandent un peu partout dans la vie quotidienne et jusque dans les œuvres d'art, particulièrement dans les natures mortes, qui sont plus *memento* de la mort et de la vanité des choses terrestres que passion de vivre comme à la Renaissance, où *tempus fugit*, la fin est inévitable, la mort est au cœur des choses, mais avant tout, elle est l'ordre de la nature. Telle est la tradition janséniste où se situe Pascal, et celle des Trappistes: «Au moment où je vous écris, dit l'abbé de Rancé, nos jours s'écoulent... nous ne vivons plus, ni les uns ni les autres, que dans le désir de la mort[12].» L'heure de la mort s'est diluée dans la durée de la vie et dans un sentiment mélancolique de la brièveté de cette vie, constate Ariès. Encore au XVIIe siècle, l'idée de la mort revient en force avec l'image du corps mort qu'on ouvre, qu'on éviscère, qu'on scrute sous prétexte de vérifier s'il est bien mort, mais surtout pour jouir du spectacle. Est-ce aussi l'influence des représentations du Christ douloureux ou mort? Nous sommes alors dans le Baroque et pointe le XVIIIe siècle où l'on assiste à l'union étroite d'*Éros* et de *Thanatos* dans des thèmes morbides «qui témoignent d'une complaisance extrême au

spectacle de la mort, de la souffrance et des supplices. Des bourreaux athlétiques et nus arrachent la peau de saint Barthélémi[13].»
L'extase aussi est représentée par les peintres sous la forme d'une
agonie — mais ils suivent en cela le langage des mystiques qui,
dès le XVIe siècle, racontaient leur itinéraire comme un cheminement dans les excès, à travers la mort et la vie. Est-il nécessaire
de citer ici Jean de la Croix et Thérèse d'Avila? L'humain *ne
vieillit pas*, il *meurt sans cesse*, mais cette mort peut être confon-
due avec l'amour qui viole ou ravit. Et pas seulement les mystiques, puisqu'on voit, au XVIIIe siècle, Roméo et Juliette instal-
lés dans le tombeau des Capulet, et un moine s'unir à la jeune
morte qu'il veille. *Thanatos* et *Éros* sont considérés comme des
émergences d'une nature qui, secondée par l'homme, réussit à
force de violence à transgresser l'ordre social. Pour Sade, la nature détruit pour créer: «Le meurtrier le plus abominable n'est que
l'organe de ses (nature) lois[14].» La mort même disparaît donc
dans ce plan de la nature. Il n'y a point de mort, affirme-t-il,
celle-ci n'est qu'imaginaire, absorbée dans la vie, comme dirait
saint Paul! On ne sait plus bien s'il s'agit seulement de la mort
des autres, si cette mort est singulière ou universelle, si elle obéit à
des lois.

La mort exerce toujours son emprise, mais différemment au
XIXe siècle. Je veux évoquer ici le Romantisme qui a régné dans
la première partie du siècle, dont l'influence se fait encore sentir à
notre époque, particulièrement dans la survalorisation de la jeunesse. Pour les Romantiques allemands, anglais et français, il est
souhaitable de mourir jeune avant que la mort à l'œuvre dans
chaque vivant ne transforme celui-ci en un être affaibli, sans passion et sans dynamisme créateur. Mieux vaut être mort qu'amorti!

O temps! Je te dirais: «Préviens ma dernière heure,
Hâte-toi que je meure;
J'aime mieux n'être pas que de vivre avili
O temps, suspends ton vol, respecte ma jeunesse[15]»

écrit Antoine Léonard Thomas, quarante ans avant les *Méditations*
où Lamartine souhaite, à défaut de mort, la suspension du temps
pour éviter la corruption. Fichte fait cette remarque à propos de
ses contemporains: «Lorsqu'ils avaient passé l'âge de 30 ans, il
eût fallu leur souhaiter pour leur bonheur et pour le bien du monde
qu'ils mourussent, car à partir de ce moment, ils ne vivaient plus
que pour se corrompre sans cesse davantage, eux-mêmes et leur
entourage[16]».

N'oublions pas que les événements extérieurs ont pu nourrir la morbidité et la mélancolie romantiques. Partout la mort règne, la mort violente de la guillotine et des champs de bataille. C'est le temps aussi des longues maladies de langueur, de la tuberculose que l'on n'identifie pas toujours. On transporte le malade dans la nature, on le fait voyager sous des cieux plus cléments dans l'espoir que la nature le guérira, ou du moins atténuera son mal. Mais la maladie accepte ordinairement son état de morbidité comme annonciateur de la mort qu'il désire ardemment. Ainsi, à travers l'Europe, circule un langage mortuaire. Et le héros romantique ne fait pas que souhaiter la mort; comme Werther, il l'accomplit bien souvent dans le suicide. Mais Gœthe survit à Werther, Victor Hugo au Romantisme, le XIXe siècle à la mort!

Ces quelques références historiques expliquent en partie l'ambiguïté des conceptions actuelles. D'une part, il semble que notre civilisation réagisse brutalement au pathos qui finit par engendrer un désir de mort; un vaste silence enveloppe de plus en plus la mort au XXe siècle: d'abord, mise à l'écart du malade chez lui, puis à l'hôpital où, ordinairement, il meurt; ensuite, impossibilité de voir le corps mort si ce n'est qu'embaumé et embelli, enfin, abolition des rituels de deuil. «L'image de la mort se contracte comme le diaphragme d'un objectif photographique qui se ferme[17].» Occultation globale de la mort qui fonctionne, aux dires des psychologues et des psychanalystes, dans le sens du refoulement de l'image du défunt plutôt que de sa sublimation. D'autre part, la rhétorique de la mort à l'œuvre, charriée depuis le XVe siècle, surgit occasionnellement comme émergeant d'un inconscient collectif, mais sans qu'on cherche pour autant à apprivoiser la mort. Référons-nous aux citations au début du chapitre. Relisons *La vieillesse* de Simone de Beauvoir. De nombreux écrivains y évoquent sur le ton des lamentations les mille maux avant-coureurs de la mort à laquelle ils disent aspirer. Jeu de la pulsion de mort? Réactivation de «l'angoisse de néantisation[18]»? Ils ne survivraient qu'à force d'égrener de petites morts non érotiques? La vie ne serait donc plus assez puissante pour apporter son dynamisme à des personnes parvenues à un certain âge? Il ne faudrait considérer cet âge qu'en fonction de la mort tapie au creux de soi. D'autres écrivains se font aussi les chantres de la mort dans la vie, mais comme l'ultime transgression de l'interdit. Je pense ici à Bataille et à ses épigones:

> Sacré!...
> À l'avance, les syllabes de ce mot sont chargées d'angoisse, le poids qui les charge est celui de la mort dans le sacrifice... Notre vie toute entière est chargée de mort. Mais, en moi, la mort définitive a le sens d'une étrange victoire[19].

L'intensité du plaisir ne s'obtient-elle que dans les frontières de la mort? La vie ne peut-elle se jouer et s'inventer sans une conscience aiguë de sa fin, sous l'égide d'un Éros d'autant plus astucieux qu'il étreint une Pœna plus dépouillée? Ces résurgences obsessionnelles d'une littérature de la mort ne parviennent toutefois pas à percer le voile qui enveloppe actuellement la mort. Mais à l'heure présente, des individus et des groupes travaillent à la réinsertion de la mort dans le tissu social. Il est urgent de retrouver un langage, mots, rites, symboles, qui permette aux mourants de s'assumer jusqu'à la fin et qui offre aux survivants un lieu pour le travail du deuil de leurs proches. Mais si je fais droit à un langage de la mort pour exprimer l'heure ultime, j'ajoute aussitôt qu'il est encore plus urgent de trouver les mots qui disent la vie dans son déroulement au cours du temps. Car le vieillissement est avant tout une œuvre de la vie qui s'adapte à travers l'usure et les pertes, en créant chez l'individu un nouvel équilibre.

V

FONTAINES DE VIE ET DE JOUVENCE

*Dans l'inconscient, tout le monde
est convaincu d'être immortel.*

Freud

Ce qui obscurcit la conscience du vieillissement, c'est donc
l'idée de la mort présente et active en toute vie. Mais ce peut être
aussi, tout à l'opposé, l'idée de l'immortalité. Vivre à jamais,
c'est un rêve qui hante l'humanité depuis que les humains ont pris
conscience d'être mortels. Ce rêve peut s'exprimer de différentes
façons. Et d'abord dans les mythes. La première épopée que
nous connaissons rapporte la geste de Gilgamesh: le héros est en
quête de l'immortalité; il en trouve le secret, mais il ne peut nous
le transmettre parce qu'un serpent le lui dérobe. Comment ne pas
penser ici au récit de la Genèse et aux nombreux autres qui évoquent la même quête. Ce thème est souvent associé à l'image de
l'eau[20]. Ainsi, les védas hindous parlent d'une fontaine de vie, la
Bible d'un fleuve d'immortalité dans le paradis terrestre; Jupiter,
lui, transforme la nymphe Juventas en une fontaine de Jouvence
où Junon se baignait pour renouveler sa jeunesse. Chose amu-
sante, c'est en cherchant une telle fontaine que Ponce de León, qui
avait accompagné Christophe Colomb dans son premier voyage,
découvrit la Floride; aujourd'hui, cette presqu'île est un paradis

pour les vacanciers qui, à défaut de l'immortalité, vont y chercher une nouvelle naissance!

Les religions prennent le relais des mythes. Certaines, dont le christianisme, introduisent une nouvelle idée: celle d'éternité. L'immortalité n'est plus alors conçue comme la prolongation indéfinie de l'ici-bas, elle est renvoyée dans l'au-delà, elle devient le privilège d'une autre vie. Cette notion d'une vie éternelle est au demeurant très mystérieuse. Jésus dit: «Je suis la voie, la vie, la vérité... Je suis le pain de vie... Celui qui croit en moi a la vie éternelle...[21]» Et il meurt pour ressusciter. Ceux qui croient en sa parole brûlent de le suivre. Ils courent au martyre: «Je ne veux plus de cette vie terrestre... ne m'empêchez pas de naître à la vie», écrit Ignace d'Antioche aux Romains, et le protomartyr Étienne a, pendant son supplice, la vision du Sauveur ressuscité, inondé de lumière. L'Église primitive attend le retour du Christ en gloire: la Parousie, la fin des temps. L'éternité? La notion n'en est pas encore établie: où situer la vie que donne le Christ? Au ciel ou sur la terre? Comme le retour du Christ est sans cesse différé et que la paix constantine reconnaît droit de cité à l'Église, celle-ci est obligée de s'installer temporellement; dès lors, la vie éternelle ne pourra plus désigner qu'une vie céleste. La doctrine s'est développée lentement, au fur et à mesure qu'on la distinguait de l'après-mort des autres religions. Ainsi, elle n'est pas le schéol des Hébreux, ce lieu où les êtres ne sont que des ombres, ni la géhenne où brûlent des flammes. Elle n'est pas non plus liée à la métempsychose ou à la réincarnation, elle n'est pas perte de soi dans le cosmos ou dans le vide. Non, la vie éternelle implique l'idée d'un salut que la foi dans le Christ confère, d'une plénitude de vie. Ce que l'œil n'a jamais vu, ni l'oreille entendu, affirme saint Paul.

Quant à la vie terrestre, elle doit être, selon l'expression consacrée, «une vie spirituelle», une vie d'union au Christ, gage et commencement de la vie éternelle. La doctrine chrétienne s'est élaborée à partir de la mort et de la résurrection du Christ. S'y affirme presque toujours une opposition entre le corps et l'âme, plus ou moins accentuée selon les époques, que seul le jugement dernier peut abolir avec la résurrection des corps. Le «corps de mort» (saint Paul) doit être soumis à une ascèse rigoureuse afin qu'il soit au service de la vie spirituelle. Ce que je veux souligner ici, en dehors de toute polémique, c'est que, d'une part, la théologie chrétienne a participé au développement de ce langage de *la mort à l'œuvre dans la vie* dont j'ai parlé au chapitre précédent, et que, d'autre part, elle n'a pas encouragé l'élaboration d'*un lan-gage pour dire le déroulement de la vie humaine*, indépendamment d'un destin céleste. Au contraire, elle s'est opposée le plus long-temps qu'elle a pu aux recherches anatomiques, biologiques et médicales qui voulaient prendre le corps comme objet, de crainte que le corps ainsi étudié ne perdît son caractère sacré. Ce n'est pas le lieu de critiquer ce parti-pris de l'Église, mais je ne peux m'empêcher de constater que les mots pour dire la vie terrestre et le vieillissement ne viennent pas facilement dans une société occi-dentale dont les dogmes chrétiens ont sédimenté l'inconscient col-lectif. Selon ces dogmes, l'humain est toujours *trop humain*, dès lors qu'il n'est pas divin, et le vieillissement doit être sublimé dans l'attente de l'au-delà.

Aujourd'hui, il semble bien que les religions traditionnelles ne jouissent plus de la même autorité. Elles sont parfois relayées par des sectes qui proposent un langage sur l'immortalité et la vie éternelle beaucoup moins élaboré que celui des religions. Mais la croyance en la survie a la vie dure. Et d'abord, là où la religion a perdu ses fidèles, il arrive que persiste une certaine religiosité qui gravite autour du thème de l'immortalité. Des enquêtes ponc-tuelles révèlent ce que le contact avec des jeunes dans l'enseigne-ment m'avait aussi appris: la survie, objet d'une vague croyance, est attendue ici d'une transmigration, là d'une réincarnation, ailleurs d'une émigration chez les extra-terrestres, sans compter tous les espoirs que font naître des phénomènes merveilleux que l'on classe, faute d'informations précises, dans le fourre-tout de la parapsychologie.

Faut-il discerner là une régression vers la pensée mythique? Nous allons voir en tout cas apparaître d'autres modes de cette pensée, justiciables d'une analyse semblable à celle que Barthes a opérée dans ses *Mythologies*. Ce qui distingue ces nouveaux mythes des anciens, c'est qu'ils sont contemporains et solidaires du déclin des croyances religieuses et de l'essor de la pensée scientifique. Quand on ne mise plus sur l'éternité dans une autre vie, le désir d'immortalité s'investit dans la vie terrestre et le rêve baisse ses prétentions: à défaut d'éternité, on rêve de longévité, et même de jeunesse perpétuelle. On invente donc fontaines merveil-leuses et élixirs nouveaux. Combien s'y étaient déjà essayés autrefois, en marge des croyances traditionnelles auxquelles ils appartenaient? Ainsi dans les temps les plus anciens, chez les Égyptiens, on trouve un papyrus portant ce titre: «Commencement du livre sur la façon de transformer un vieillard en jeune homme[22].» Au Moyen-Âge, des alchimistes et bien d'autres s'y sont consacrés. Un seul exemple, d'autant plus intéressant qu'il s'agit d'un moine franciscain pieux et savant, Roger Bacon. Ce saint religieux, tout en faisant des expériences sur la lumière et l'optique, s'efforçait d'atteindre ce qui était pour lui le but ultime de la science: la prolongation de la vie humaine de plusieurs siècles. Il avait inventé à cet effet un élixir composé d'or (toujours l'alchimie), d'eau (la fontaine!), d'ambre gris de l'intestin du cachalot, de chair de vipère, de romarin, etc.[23]

Maintenant, la science tient un autre langage et recommande d'autres formules. Mais l'espoir d'une longévité indéfinie suscite encore bien des discours suspects et des recettes chimériques. Parmi les savants et les médecins, on trouve toujours de nouveaux Faust pour rêver, par exemple, à une régénération totale des cellules humaines. Sans doute a-t-on découvert que des régénérations partielles sont possibles, mais elles sont limitées par le programme génétique propre à chaque espèce, ce qui semble autoriser pour l'homme une espérance de vie de cent dix à cent vingt ans.

C'est sur ces discours que s'appuient, en tout cas, maintes techniques de rajeunissement: *lifting*, hormonothérapie, hydrothérapie, chirurgie esthétique, programmes régénératifs des docteurs X, Y, Z[24]. Ces techniques sont bienvenues si elles aident à mieux vieillir! Mais la publicité les présente trop souvent comme une panacée miraculeuse, garantissant une jeunesse perpétuelle. Le mythe encore! C'est ainsi que le rêve millénaire de l'immortalité se déguise maintenant sous l'idéologie de cette jeunesse dynamique, joyeuse, débordante de beauté et de vitalité, qui se prolongerait indéfiniment.

Cette survalorisation de la jeunesse s'accorde à notre époque avec l'idéologie dominante qui oblitère la mort et occulte la vieillesse, inspirée qu'elle est par le principe de rendement. Seuls les performants ont droit de cité. Le modèle, c'est l'adulte masculin, blanc, en forme, qui détient un poste-clé dans le système de la production où l'efficacité est de rigueur. À ce modèle, le Narcisse de la postmodernité ajoute un trait, la beauté, rajeunissant encore de cette façon le prototype de la jeunesse. Cependant la conjoncture présente semble infliger un démenti au mythe de la jeunesse. Le temps de l'activité triomphante se raccourcit à mesure que, pour résorber le chômage, l'âge de la retraite avance. Le modèle du jeune producteur dynamique ne peut être suivi très longtemps.

Pourtant, le mythe de la jeunesse se perpétue quand même. Comme le mythe de l'immortalité, il a des racines profondes dans le désir, avoué ou non, que le temps suspende son vol, que l'irré-versibilité de son écoulement ne soit pas le dernier mot — mais la jeunesse n'est-elle pas, par définition, transitoire? Et il trouve une expression dans une certaine sacralisation de l'enfance. Nietzsche parlait avec ferveur de la danse de l'enfant Dionysos... Beaucoup sont encore sensibles à l'image de l'innocence qu'offre le visage lisse de l'enfant.

Ainsi sommes-nous, par bien des voies, détournés de pen-ser le vieillissement: la maladie l'occulte, la vie éternelle l'absorbe, l'immortalité l'annule, les fontaines de Jouvence le préviennent ou prétendent le guérir[25]. Comment en prendre vraiment conscience lorsque pullulent tant de discours pour nous en préserver avant même que nous le ressentions? Et si nous venons à en faire l'ex-périence, comment la dire — nous la dire — alors que rares sont les mots disponibles pour l'exprimer?

VI

L'ÉMERGENCE DU CONTINENT GRIS

*L'enjeu est historique: l'invention
d'un individu âgé non vieux dans
une société postmoderne.*

Xavier Gaullier

Serions-nous désappropriés de notre vieillissement avant
même d'en prendre conscience? Réduits à vivre dans un présent
sans durée et sans avenir? Et sans mots pour capter des expériences d'un vécu qui ne se ramène pas à l'immédiat?

Heureusement, notre époque présente quelques conjonctures
favorables à la prise de conscience du vieillissement. La première,
sans contredit, est visible à l'œil nu et confirmée par les statistiques: c'est le grand nombre de personnes âgées. On meurt moins
jeune et l'on vit plus longtemps. D'après Fourastié, dans la situation prémoderne, la moitié des individus atteignait l'âge de quinze
ou vingt ans (suivant les époques); dans la situation actuelle, la
moitié et même davantage atteint soixante-quinze ou quatre-vingts
ans selon le sexe. Pour la France, l'âge le plus fréquent de décès
est soixante-dix-sept ans pour les hommes, et quatre-vingt-deux
ans pour les femmes. Faut-il ajouter que l'âge de la retraite, qui
institutionnellement range les individus dans la catégorie des

«vieux», est de plus en plus anticipé, ce qui accroît encore le nombre des aînés.

Ce fait évident entraîne bien des transformations dans notre façon de voir les personnes âgées et suscite un rajustement des groupes d'âge. Peut-on considérer comme des vieillards ces têtes grises ou blanches qu'on voit un peu partout en pleine forme? On a donc inventé le terme de «troisième âge» pour les désigner, réservant celui de «quatrième» pour les plus retirés. Mais d'après Xavier Gaullier, cette appellation récente est déjà périmée, car où situer les moins de soixante ans, jeunes retraités et préretraités[26]? Comme leurs aînés de peu, ils n'ont plus d'obligation stricte à l'égard des institutions professionnelles ni de leurs enfants. D'ailleurs, cette nouvelle couche de population très active se taille des emplois à sa mesure qui n'ont pas encore de statuts officiels et qui demeurent précaires. C'est pourquoi Gaullier distingue la «deuxième carrière», ou le «bel âge qui mord sur l'âge mûr», et le troisième âge. On peut dès maintenant constater un bouleversement dans la classification des gens d'après les âges. La réalité vécue déborde les catégories, et ce, suffisamment pour dérouter l'observateur en quête de son objet. Moins de vieux, plus de gens vieillissants.

D'autres transformations, d'ordre psychosocial, mettent en lumière un glissement des activités qu'on assume aux différents âges. Ainsi, l'apprentissage scolaire fut longtemps réservé à la jeunesse. Aujourd'hui, si les études se prolongent chez les adolescents à cause des exigences professionnelles — et du chômage —, elles ne demeurent plus leur apanage. La formation continue est intégrée au monde du travail, le concept d'éducation permanente ouvre les institutions à tous les âges et entretient pour chacun le désir de se recycler. Même les universités pour le troisième âge se multiplient. Il en est de même pour le monde du travail rémunéré qui fut longtemps la chasse gardée des adultes. Maintenant le travail à temps partiel existe de plus en plus chez les étudiants, même très jeunes. Et pour les jeunes retraités? Il s'instaure en douce un peu partout en Occident, et particulièrement en France, à en croire Gaullier qui, après avoir recensé de multiples initiatives, le recommande dans son livre *La seconde carrière*. Quant aux loisirs, ils prennent une place encore plus importante dans la vie de tous. Mais jusqu'à ces dernières années, ils étaient moins intenses et moins diversifiés chez les retraités que chez les actifs. Le sentiment de liberté dont jouissent les retraités ne les incitait peut-être pas encore à chercher des loisirs spécifiques inscrits dans le réseau de la consommation; le repos, la pêche, les cartes suffisaient à plusieurs. Mais à mesure que les pensions s'accroissent, la publicité pour les loisirs sollicite avec habileté le marché possible des «pépés-boomers». Et ceux-ci entrent dans la danse: ils font du sport, ils voyagent, il sortent, bref, on les voit partout! Les cycles de vie deviennent donc plus «fluides», selon l'expression de la sociologue américaine Neugarten: moins de «murs de Berlin» entre les âges! C'est aussi la promotion d'un nouveau modèle de retraité, actif, qui présente une image séduisante du vieillissement et assure sa visibilité. La vieillesse dépendante et misérable n'existe plus — ou elle est reportée à beaucoup plus tard[27].

Ainsi, les «nouveaux vieux» organisent de plus en plus leur vie: ils ont leurs clubs, leurs émissions, leurs journaux, leurs revues, et parfois leurs unions pour réclamer leurs droits: à Montréal, l'Association québécoise pour la défense des droits des retraités et des préretraités (AQDR), aux États-Unis, les Grey Panthers dont l'exemple commence à être imité en Europe et qui exercent jusqu'à la Maison-Blanche un puissant *lobbying*. Comment ne pas se réjouir de cette insertion sociale des aînés qui, lorsqu'elle est vécue délibérément par les gens, fait d'eux des citoyens à part entière? Le continent gris émerge, encore indécis dans ses contours, mais de moins en moins indicible. Et il fait parler de lui. Simone de Beauvoir serait heureuse, elle qui voulait briser «la conspiration du silence» qui l'entourait.

Toutefois, gare à l'hyperorganisation de la retraite qui la reconstituerait en ghetto! Aussi est-il très important que les initiatives viennent des retraités eux-mêmes ou, lorsqu'elles sont prises par d'autres, qu'ils aient leur mot à dire dans les décisions à prendre. On constate qu'en Amérique du Nord, les retraités sont organisés plus que partout dans le monde et qu'ils obtiennent des gouvernements des avantages sur tous les plans. Par ailleurs, ils semblent s'isoler de la population: ils logent regroupés dans des immeubles conçus pour eux, habitations à loyer modique ou immeubles en copropriété avec tous les services intégrés, avec leurs magasins, leur quartier et parfois même leur localité, leur calendrier: mois, jours, heures où on leur offre des rabais pour les sports, les spectacles, les voyages. Ainsi, ils sont toujours entre eux et ont peu de contact avec la population, même avec les retraités d'une classe sociale autre que la leur. Leurs activités ne seraient-elles alors qu'un jeu d'ombres chinoises dans le paysage social? Par contre, dans un pays comme la France où l'indivi-

dualisme demeure prédominant, on a davantage le souci de préserver l'autonomie des aînés et on favorise la prolongation de
l'habitation à domicile, chez soi ou dans des ensembles où leur
logement demeure mêlé à ceux d'autres groupes d'âge. Du
moins, c'est la politique que l'on préconise. Cependant, bien des
personnes seules vivent misérablement et gagneraient à être plus
soutenues lorsqu'on les maintient à domicile, ou à être intégrées
dans des institutions décentes. Aussi bien ces deux conceptions
auraient avantage à se compléter l'une l'autre.

En tout cas, même s'ils sont parfois isolés, on sait que les
retraités existent. Car maintenant une importante information circule: revues, émissions télévisées ou radiophoniques, publicité,
cours de toutes sortes pour préparer la retraite, parfois proposés
par des entreprises comme service à leurs employés ou par des
compagnies financières pour informer leur clientèle. On en vient
même, à un âge très jeune, à souhaiter la retraite dans l'espoir
qu'elle apporte une réponse aux insatisfactions du milieu de travail
et qu'elle comble les désirs inassouvis de la vie. Ainsi la publicité
télévisée d'une compagnie d'assurances nous présente-t-elle un
jeune couple sur une gondole à Venise avec cette invitation: «Oui,
avec la double police que vous prendrez maintenant et que vous
pourrez racheter à cinquante ans, lors de votre retraite anticipée, à
vous les voyages!» Serait-on en train de construire le mythe de la
retraite paradisiaque? Certes, cette perspective peut fausser l'idée
de la retraite, mais par ailleurs, elle peut stimuler la prise de conscience du vieillissement qui n'apparaît plus sous un jour aussi
dramatique.

Magnifique épiphanie du continent gris que l'aveu de leur
vieillissement par des personnes en vue, surtout des vedettes du
théâtre et du cinéma! Le phénomène est évidemment plus remarquable quand il s'agit des femmes qui risquent beaucoup en bous-
culant ainsi les stéréotypes; mais elles sont soutenues par l'amour
de leur métier quand il les oblige à passer des rôles d'amantes à
ceux de mères. En effet, les rôles de femmes amoureuses de
cinquante ans et plus sont rares, même si Denise Grey, Danièle
Darrieux, Annie Girardot, etc., les tiennent encore à l'occasion en
France, Andrée Lachapelle, Andrée Boucher, Janine Sutto au
Québec, en particulier dans certains téléromans, entre autres ceux
de la féministe Lise Payette. Ces artistes s'appuient sur une nouvelle image de la femme en train de poindre, qui valorise avant
tout le naturel; ainsi, il est de bon ton d'avouer son âge, les traces
qu'il manifeste et de s'affirmer dans cet aveu. Jacqueline Bisset ne

confesse-t-elle pas dans *Figaro Magazine*: «J'ai quarante-cinq ans et je me sens libre, bien dans ma tête et dans mon corps. Les maquillages qui gomment les petites griffes de la vie, c'est fini.» Souhaitons que ce ne soit pas là uniquement une mode, que ces femmes persisteront dans cette attitude quand les «griffures» du temps seront plus prononcées!

Des femmes politiques, des femmes d'affaires, des femmes engagées dans une profession leur emboîtent le pas: dans des interviews où leur photo les flatte, elles ne craignent pas de révéler qu'elles ont plus d'années qu'elles n'en paraissent. Elles sont des modèles éclatants d'un vieillissement conscient et dynamique.

Je vois une conjoncture heureuse de notre époque dans certaines recherches en psychologie et en philosophie. Elles tiennent compte du temps dans le déroulement de la vie humaine; soit qu'elles le considèrent comme un élément de réflexion signifiant en lui-même, soit qu'elles le regardent comme déterminant des crises à surmonter[28], des phases de développement[29] ou d'ascension[30]. Elles ouvrent une voie à la gérontologie qui est sans contredit, en cette fin de siècle, une discipline majeure pour prendre conscience de son propre vieillissement et aider à le vivre. Cette science a pris naissance au début du siècle avec Stanley Hall[31], mais elle ne fut introduite dans la médecine que dans les années quarante et ne se développe vraiment que depuis vingt-cinq ans. La gérontologie a pour objet l'étude du vieillissement et l'aide aux personnes âgées en tant qu'elles sont marquées par l'âge. Elle est au confluent de plusieurs autres disciplines: biologie, démographie, sociologie, psychologie, etc., et de pratiques variées, médicales, paramédicales et sociales. Mais Nicole Benoît-Lapierre nous avertit que le vieillissement n'est pas pour autant «un phénomène bio-physiologique sur lequel viendraient se greffer les aspects psychologiques et sociaux. Il y a interaction et interpénétration de ces trois dimensions[32].» Or, jusqu'à tout récemment, les traités de pathologie décrivaient les maladies en faisant abstraction de l'âge. Il en était de même des manuels de biologie, renchérit Ladislas Robert. Quant à Freud, il n'a jamais cru nécessaire d'intégrer le temps dans la construction systématique de sa démarche si ce n'est, bien entendu, pour l'enfance où tout se jouerait. Une exception dans l'histoire de la psychanalyse: Jung, dont certaines pages peuvent inspirer un art de vieillir. Toutefois, aujourd'hui, des psychanalystes, même d'obédience freudienne, tout en reconnaissant la permanence de la structure psychique, n'éliminent pas la considération de l'âge et de l'expérience de vie qui affectent aussi le sujet[33].

Les recherches — jamais assez nombreuses au dire des spécialistes, vu l'urgence des besoins et les retards de cette science — se poursuivent dans tous les domaines et dans tous les pays développés. Mais la gérontologie a bien de la peine à se constituer en science autonome, et pour bien des raisons: difficulté de cerner un objet extrêmement singularisé, dont les phases de *développement* ne se laissent pas saisir comme chez l'enfant, de zéro à quinze ans. Développement? Dégénérescence, dirait plutôt un biologiste, pour être repris aussitôt par un psychologue ou un philosophe qui insisterait sur les possibilités d'évolution de l'être humain jusqu'à la fin de sa vie. Ces divergences manifestent un autre obstacle pour la gérontologie: la plupart des gens qui la pratiquent le font à partir d'une discipline qui leur est propre et ont de la peine à percevoir globalement la personne vieillissante. De plus, c'est souvent à l'occasion de pratiques et de politiques à instaurer que la recherche est entreprise, avec une intention d'efficacité à courte échéance, ce qui fait de la gérontologie, comme le remarque M. Philibert, une science très liée à l'idéologie de ceux qui s'y adonnent. Mais je ne m'étendrai pas davantage sur ces problèmes, puisque je n'ai d'autre propos ici que de saisir comment et à quelles conditions la gérontologie ou plus justement les gérontologues, qui sont les dispensateurs du savoir gérontologique, nous aident à prendre conscience de notre vieillissement et à le gérer. Nous leur demandons, non de nous livrer des recettes faciles, mais d'être de bons pédagogues: exposer clairement *quelques* résultats de leurs recherches, en ayant soin de les situer par rapport à la personnalité globale de l'être vieillissant et de l'ensemble de la société; en regard également de l'histoire. Souhaitons qu'ils relativisent leurs discours: leurs découvertes ne sont jamais définitives et peuvent même être contestées par d'autres; qu'ils emploient un langage précis et simple. Ainsi, les gens pourront enfin avoir des mots pour dire ce qu'ils éprouvent en vieillissant[34].

Trop souvent, ce sont les médias qui vulgarisent les démarches et les acquis de la gérontologie. Il leur faut s'acquitter de cette tâche avec précaution pour éviter deux pièges dans lesquels il leur arrive de tomber: la dramatisation et la simplification à outrance.

Voici, pour illustrer le premier danger, l'exemple d'une émission destinée à sensibiliser le public à la maladie d'Alzheimer. Avec force chiffres à l'appui et l'exemple célèbre de Rita

Hayworth, on décrit longuement ce type de sénilité. On parle des recherches qui n'ont pas encore abouti, on exhorte la population à la vigilance. Mais que peut-elle faire si ce n'est paniquer? Mieux vaut mettre l'accent sur des sujets qui suscitent une participation active des gens. Certes, ceux-ci ont le droit d'être informés sur la sénilité; qu'on le fasse alors avec précaution! Il faut insister sur les recherches en cours et demander à la population d'y collaborer, au moins financièrement, et indiquer aux parents de personnes atteintes des adresses où elles peuvent être aidées. Un modèle: *How to Take Care of Seniles*, film japonais remarquable présenté au Festival des films du monde de Montréal en août 1987.

Le second écueil, c'est de présenter des documents qui prétendent pallier à tout coup les inconvénients du vieillissement, comme le font les petites annonces aguichantes: «Vous êtes tous jeunes! Mais pour le demeurer, utilisez l'élixir du professeur Y ou la pommade de la doctoresse Z.» Certes, des émissions savent être plus sérieuses, elles apportent des témoignages vécus, elles donnent la parole à des personnes vieillissantes, elles suggèrent des moyens de remédier à des inconvénients, mais toujours en les inscrivant dans un contexte plus large et en sollicitant la réflexion.

On attend enfin des gérontologues qu'ils soient des créateurs de concepts et de mots qui nous permettent de reconnaître et de décrire des expériences de vieillissement, et ainsi de les apprivoiser. Nous avertir qu'on vieillit ne suffit pas. Il faut nous donner un langage qui nous rende capable de prendre conscience de ce qui se passe en nous et de ses aspects positifs, et capable aussi d'en parler sans être bouleversé.

VII

LE REGARD DE LA MÉDUSE

Mourir, cela n'est rien,
Mourir, la belle affaire,
Mais vieillir... oh vieillir.

Jacques Brel

Un des paradoxes du vingtième siècle: notre société escamote le vieillissement en même temps qu'émerge le continent gris. Et nous, sourds et aveugles, aspirons sans relâche à la jeunesse éternelle, alors que nous percevons la mort à l'œuvre en nous! Quand donc nous réveillerons-nous? Voilà l'exergue du sermon d'un gérontologue contemporain! Et s'il ne nous touche pas, nos proches reviendront à la charge et nous avertiront à leur tour: tu es vieux, tu es vieille. Quel choc! L'œil de l'autre qui nous voit ainsi nous semble alors aussi impitoyable que celui de la Méduse, cette Gorgone dont les yeux avaient le pouvoir de transformer en pierres tous ceux qui la regardaient.

Certes, l'autre n'a pas le pouvoir magique de la Méduse. Son œil, encore qu'il puisse être blessant, nous touche moins que les propos associés à ce regard qui en redoublent les effets. Ces propos, notons-le, ne parlent pas de vieillissement, mais de vieillesse: ils nous instruisent de notre âge, et c'est à nous qu'il appartiendra de penser le vieillissement lui-même comme partie intégrante de notre vie. Mais pour que nous développions un art de vieillir, il nous faut sans doute avoir pris conscience d'être vieux aux yeux des autres. Leurs propos peuvent être directs et parfois sans ménagement. Quelques exemples:

Charitable: (dans un bus) «Prenez donc ma place!»
Naïf: «Comme tu as changé! Je ne te reconnais pas!»
Dramatique: «Ça tombe, ça tombe de partout!»
Perfide: «Ta silhouette est restée jeune! De dos, tu ne fais
     pas ton âge!»
Rêveur: «Vous me faites penser à votre mère!»
Avec sollicitude: «À ta place, je me ferais faire un *lifting*!»
Grave: «Au-delà de ce portillon, votre ticket n'est plus
     valable.»
Sentencieux: «Passé trente (quarante, cinquante, etc.) ans,
     plus d'avenir!»
Sans-gêne: «Range-toi, la mémé!»
Blasé: «Les parents, vous n'êtes plus dans le coup!»
Prévenant: «Penses-y à deux fois avant de chausser tes skis
     cet hiver: gare aux fractures avec l'ostéoporose!»
Gentil: «Tu es bien conservé pour ton âge.»
Péremptoire: «Encore une erreur! Tu vieillis...»
Critique: «Cette jupe courte, cette couleur criarde!»
Agressif: «Tant de jeunes au chômage... et tu ne prends pas
     ta retraite!»
Cruel: (dans un wagon de métro à Paris, quelqu'un vous
     montre ce graffiti authentique au-dessus de votre tête):
     «Les vieillards sont combustibles,
     Faisons des économies de chauffage!»

Peu à peu ces coups d'épingles nous écorchent, ces coups de massue nous assomment: je suis vieille, je suis vieux! Sommes-nous moins touchés quand c'est le miroir plutôt que les paroles de l'autre qui nous révèle les traces du temps? Non, car nous associons aussitôt le regard de l'autre et ses propos sans merci à la perception de notre image. Ces premières rides, ces cernes, cette paupière qui tombe, ce menton qui se dédouble, cette calvitie qui gagne du terrain, l'autre les voit comme moi, que va-t-il en penser? M'aimera-t-on encore? Alors émergent de la conscience des symptômes plus secrets: cette trop grande fatigue après une nuit blanche, cet essoufflement à monter les escaliers... pourrai-je les cacher longtemps aux autres et à moi-même? Le choc est peut-être plus dur pour qui se voit à l'écran de la télévision à un certain âge. Est-ce l'effet grossissant de ce médium, la multiplication des regards qu'il suppose? Même des jeunes ressentent cette émotion, comme si l'objectivation de leur image, telle qu'elle apparaît aux autres, la leur rendait méconnaissable. Mais combien plus vivement cette émotion est-elle éprouvée par ceux qui portent des stigmates de l'âge. Un sentiment d'étrangeté s'empare d'eux et provoque parfois une crise d'identité. Comment alors se reconnaître dans un soi qu'on n'avait pas apprivoisé jusqu'à maintenant? L'insertion sociale implique donc qu'on soit modérément conscient du regard de l'autre pour construire sa personnalité et pour garder une certaine liberté à son égard.

Là où l'œil de la Méduse me semble le plus opérant, c'est lorsqu'il est non seulement multiple, mais collectif; je pense ici aux édits sociaux qui nous proclament vieux et dont la retraite est l'exemple le plus patent. Certes, aujourd'hui, l'espérance de vie accrue, l'anticipation et parfois le choix volontaire de la retraite dédramatisent quelque peu la marginalisation liée à l'arrêt du travail, mais dans bien des lieux, tous les retraités, qu'ils soient jeunes ou vieux, sont mis à la même enseigne, c'est-à-dire à l'écart de la société «active» et productrice. Cette heure de la retraite sonne particulièrement tôt dans certains milieux: le monde du sport, par exemple, de la danse, du chant, du théâtre, du cinéma, ou dans certaines situations sociales en dehors du travail; ainsi il serait ridicule de se marier ou même de s'aimer à partir d'un certain âge. Quand la société nous proclame, à quelque âge que ce soit, «trop vieux pour», elle interrompt le flux de notre dynamisme vital et isole arbitrairement des régions de notre être, ce qui tend à les scléroser. Notre organisme doit alors réagir non seulement à son propre vieillissement, mais à des exclusions qui sont comme des mises à mort partielles.

Peut-on alors méduser la Méduse? Je ne suggère pas qu'à l'instar de Persée nous lui présentions un bouclier où le reflet de notre image la terrasserait, mais plutôt que nous lui ripostions en prenant nous-mêmes conscience de notre vieillissement. Ce qui ne veut pas dire que nous adhérions nécessairement aux propos meurtriers de l'autre qui met en évidence un aspect particulier de notre vieillissement, selon son jugement à lui, souvent faussé par les préjugés sociaux. Il faut aller plus loin: rejoindre en soi ce lieu d'où l'on essaie de se voir dans son devenir, sans pour autant perdre de vue un moi qui vit toujours dans un présent bienheu-

reux, hors des atteintes du temps. Car nous sommes devant deux
sortes de temporalité: l'une qui concerne les êtres dans le déroulement de leur vie, avec un commencement qui s'achemine vers le
déclin et la mort, et l'autre qui s'identifie à la durée du présent,
dans un sentiment d'éternité. Le moi immédiat ne ressent ni usure
ni déclin; c'est le moi réflexif qui en interprète les signes, ceux de
la Méduse et de notre propre perception, comme des symptômes
de vieillissement. Mais s'il peut le faire d'une façon efficace, ce
n'est que par sa liaison intime avec le moi de l'expérience
immédiate. Jankélévitch le constate: «La conscience de vieillir
surgit lorsque cette expérience et cette optique, normalement
disjointes, interfèrent l'une sur l'autre[35].» Et il appelle cette prise
de conscience «réalisation». Réaliser... «c'est découvrir la portée
et la gravité de certains signes; mieux encore: c'est découvrir ce
que l'on a déjà trouvé et apprendre ce que l'on sait déjà, et
apercevoir enfin ce que l'on a toujours vu[36]». C'est bien le fait
d'un sujet qui éprouve en même temps qu'il réfléchit. Aussitôt
faite, cette expérience peut dissoudre le sujet livré alors à une angoisse existentielle que certains considèrent comme «une réactivation de l'angoisse fondamentale[37].» On a donc intérêt à ce qu'elle
s'accomplisse en dehors de l'imminence de la mort qui accentue
son caractère tragique et la rend presque intolérable. Aussi bien,
mon propos invite à réaliser le plus tôt possible les effets du temps
sur soi pour les apprivoiser à un moment où l'on participe encore
activement par la vie professionnelle au système de valeurs de
notre époque: maîtrise, rendement, compétition, puissance. Peut-
être qu'alors réaliser son vieillissement coïncidera-t-il avec une
critique de ces valeurs? Qu'au moins ce fait sollicite l'imaginaire à
trouver des formes pour conjurer cette angoisse primitive contre
laquelle tous les peuples ont inventé des systèmes de défense[38].
Alors, en même temps qu'on «réalisera» son vieillissement, on se
réalisera.

VIII

LE DYNAMISME DE L'ORGANISME HUMAIN

> *Pour lui [le fœtus], la vieillesse et la vie se ressemblaient: il s'agissait d'atteindre celle-ci et puis celle-là. Pourquoi les hommes, dès qu'ils sont conscients de vivre, maltraitent-ils la vie et, devenus vieux, la vieillesse?*

> F. Weyergans

Réaliser son vieillissement, c'est réaliser d'abord qu'on est vivant. L'homme est un vivant parmi d'autres, et c'est cette vie en lui qu'il faut penser. Elle peut prendre des aspects différents de ceux de la vie animale: elle est aussi une vie sociale, intellectuelle, une vie morale, mais elle ne cesse pas d'être en priorité une vie biologique, quel que soit l'âge de l'individu. C'est de cette dernière qu'il faut évoquer d'abord le dynamisme. Le vitalisme nous y aide, tel que le comprend Canguilhem dont je m'inspire ici. Pas besoin de nommer un «principe vital», ou encore moins «une âme» pour en faire une cause ou une clé. «Le vitalisme traduit une exigence permanente de la vie dans le vivant, l'identité avec soi-même de la vie immanente au vivant[39].» Il exprime «la confiance du vivant dans la vie[40]».

Ce dynamisme apparaît dans l'effort, le *conatus* spinoziste, par lequel l'être vivant persévère dans son être. Vivre, c'est

56

toujours survivre: l'organisme ne cesse de résister aux agressions de l'extérieur, mais aussi à sa propre usure. Il est capable de se construire et de s'autoréparer. Hippocrate insistait sur la *vis medicatrix naturae*, la puissance curative de la nature. En témoignent les phénomènes de suppléance qui s'accomplissent automatiquement dans le secret du corps. Une veine est-elle bouchée? Le sang suivra un autre trajet. Les ovaires ont-ils épuisé leur stock d'ovules? Ils sécréteront encore un peu d'œstrogène et la relève sera prise en partie par les surrénales. On connaît aussi les effets réparateurs de l'activité du corps. Le Dr Guillet donne l'exemple de la décalcification des os. C'est un fait, on perd du calcium avec l'âge, mais si l'on maintient son corps en activité physique, on garde une charge de calcium suffisante pour assurer la solidité de son squelette. Le calcium revient dans l'os sur demande. «Si l'on marche, si l'on court, si l'on bouge, l'os, du fait de la pesanteur, est soumis à des pressions et à des tractions qui appellent le calcium. La règle est simple: nos os restent solides si nous nous servons de nos muscles[41].» Même l'involution, cette régression d'un organe ou d'un organisme, peut être au service de la vie. Pour G. Abraham, elle équilibrerait les excès des forces vitales. Elle en serait le «contrepoids indispensable, avec une possibilité unique de lui donner une signification[42]». Mais le dynamisme du vivant humain s'affirme encore mieux dans la relation qu'il entretient avec le milieu. Car le vivant humain n'est pas uniquement l'effet et le produit du milieu physique; loin d'être déterminé par lui comme le mouvement d'un corps par l'action d'autres corps, il détermine ce milieu qui est toujours *son* milieu, parce qu'il en est le centre irréductible de référence. Ce milieu est prélevé sur l'environnement global en fonction de la nature propre à chaque espèce. Je me réfère ici à Claparède: «Ce qui distingue l'animal, c'est le fait qu'il est un *centre* par rapport aux forces ambiantes qui ne sont plus, par rapport à lui, que des excitants ou des signaux, un centre, c'est-à-dire, un système à régulation interne, et dont les réactions sont commandées par une cause interne, le besoin momentané[43].» À l'intérieur de son milieu, le vivant humain peut circonscrire des sous-milieux, comme peut l'être sa chambre pour un malade obligé de se tenir sur la défensive. Mais ce vivant peut encore déterminer son milieu en agissant sur lui; au lieu de s'adapter passivement à lui, il l'adapte à ses besoins: au lieu que sa température varie selon le climat comme chez certains animaux, il invente le feu ou le climatiseur; son milieu est peuplé d'objets qu'il a créés pour l'ajuster à ses exigences.

Toutefois, cette vitalité de l'organisme vivant n'est pas éternelle, ni sans fin son adaptation au milieu. Même la médecine avec remèdes, tuyaux et prothèses, abdique à une heure donnée, la dernière. Le vivant devient alors la proie des systèmes qui sous-tendent son organisation: ceux des corps inertes. Entropie? Oui, mais après la mort, pas avant! Le dynamisme vital, même atténué, persiste jusqu'à la fin!

LE DYNAMISME DU SUJET

Vieillir c'est naître plusieurs fois.

Narcisse contemple son image et la trouve belle. Au fur et à mesure qu'ils vieillissent, la femme et l'homme n'ont plus le même plaisir à se regarder dans une glace, ou à examiner leurs muscles qui s'affaissent, leurs jambes bleuies par des varices, leurs doigts raidis par l'arthrose et leurs orteils déformés par le port des chaussures. La psychanalyse appelle cela subir des blessures narcissiques. Évidemment, tous les maux ne s'abattent pas à la fois sur l'être vieillissant; c'est même une caractéristique du vieillissement, nous l'avons remarqué, qu'il s'accomplit en douce. Et on l'ignore le plus longtemps possible, jusqu'au jour où il nous crève les yeux. Alors on se compare avec autrefois, avec le temps où notre apparence était resplendissante, notre forme excellente: «Ah! lors de mon premier bal...» « Ah! lorsque je jouais à l'avant dans mon équipe de hockey...» La nostalgie entre en jeu pour secourir un moi que le temps présent fait vaciller.

Mais s'il en est ainsi, c'est qu'on perçoit en soi, au-delà de ce qu'on perd, quelque chose en soi qui résiste au temps, une continuité dans l'être qui permet de dire toujours *je*, de se reconnaître à travers tous les changements. Il ne s'agit pas seulement du nom qui désigne la personnalité civile, mais d'un substrat à toutes les expériences de sa vie. Si le nom a du sens, c'est qu'il a partie liée avec la perception d'un *je* continu. La mémoire peut oublier de grands pans de l'existence; chez la personne saine, elle demeure assez ferme pour relier dans le *je* le passé au présent. Ce *je* permanent n'est pas pour autant immobile et inamovible. Il se transforme au cours des ans. Il peut même subir des transformations radicales, comme celles que la religion désigne sous le nom de *métanoïa* ou conversion: celle de Saul sur le chemin de Damas foudroyé par la grâce et qui devint Paul, ou d'autres, racontées fréquemment aujourd'hui, dans le genre autobiographique du style: «Comment j'ai abandonné la drogue... la cigarette... l'alcool... la prostitution» ou quoi encore! Même des changements aussi profonds n'empêchent pas les personnes qui les vivent de se les approprier comme partie intégrante de leur existence: l'événement important deviendra, au contraire, une date, un point de repère pour scander l'histoire personnelle selon l'avant et l'après.

Cette expérience est valable, a fortiori, pour les changements qu'apporte le vieillissement, à condition qu'on les découvre peu à peu, ou au moins après avoir vécu une étape qu'on baptise souvent «coup de vieux» pour exprimer un palier dans le vieillissement. Ainsi quand je constate que ma mémoire flanche ou que mes genoux craquent, j'établis alors une distance entre les parties concernées et moi-même: «le sujet ne peut se confondre avec les faits qui interviennent sur la scène du vieillissement[44]». Henri Bianchi, que je viens de citer, tente d'expliciter, à l'aide de la psychanalyse, cette notion glissante du sujet: celui-ci serait une «localisation», un «point de repère déplaçable que détermine l'appareil psychique, et non pas seulement le langage», une «subjectivité errante variable», un «réservoir de subjectivité infiniment précieux mais instable». Et il précise: c'est dans «l'instance du Moi, près de la perception, que cette subjectivité volatile se fixe, aboutit, devient sujet», comme «une sorte d'arrêt qui s'opère dans le Moi, d'un processus de subjectivation inépuisable[45]». Bianchi ne rejette donc pas le moi de la phénoménologie, mais il le spécifie à l'aide de la psychanalyse en accentuant le caractère de mobilité. Son interprétation personnelle s'avère fructueuse pour expliciter le dynamisme de l'individu aux prises avec le temps. Ainsi, il compare le sujet au savant qui est le point de référence nécessaire de l'objet qu'il mesure, d'où la relativité du regard qu'il porte sur cet objet. De même, le sujet doit s'arc-bouter contre les changements, leur résister en se maintenant dans un lieu fixe où il peut justement déterminer la «valeur d'origine de la mesure de n'importe quel flux d'événements[46]». Il se constitue donc ainsi à travers une dynamique de résistance qui reconnaît ses propres transformations dues au vieillissement: il est alors actif et réactif, mais dans la permanence d'un lieu qui échappe au changement. «En d'autres termes, conclut Bianchi, le sujet ne s'érode pas. Il est ou il n'est pas, mais tant qu'il est, il persiste dans son identité de 'localisation' qui le place en extériorité vis-à-vis de tout événement et du temps, et qui, par ailleurs cependant lui ménage une possibilité de variations quant aux positions qu'il peut prendre vis-à-vis des événements du temps[47].» De là vient son dynamisme; de son statut de sujet, tout comme il en est ainsi pour l'organisme. Mais celui-ci vieillit, le sujet, lui, ne vieillit pas!

Il n'est peut-être pas vain de voir *comment*, d'après Bianchi, s'est constituée cette persistance du sujet. Ses thèses peuvent affirmer notre confiance dans le *je*. Bianchi nous parle d'une «institution de la continuité[48]» chez le tout petit enfant. À son origine, le moi tout-puissant de la mère que l'enfant dévore en même temps qu'il se nourrit de son lait, et qu'il s'approprie dans la différenciation progressive de la mère-objet, de la mère-environnement, pour aboutir à la création d'un moi de plus en plus autonome. Mais ce Moi n'est vraiment *institué* «que par la révolution œdipienne qui, transformant l'investissement sur les parents en identification, et soumettant le désir à la loi, place en lui-même le support interne d'une institution idéale dans laquelle le 'droit' finalement l'emporte parce qu'il en existe un garant — en l'occurrence le Surmoi[49]». C'est reconnaître, pour ce psychanalyste, un lien au moins «systématique» entre l'institution du sujet et les institutions extérieures: sociales, politiques, économiques. Ce qu'elles ont en commun, c'est le *holding*, ce maintien de la continuité qui se révèle ainsi comme une fonction du moi, «c'est-à-dire, une instance appelée à aménager la rencontre avec le monde extérieur — la réalité — et par là même, à contrôler les poussées irrationnelles, les exigences de la pulsion, non seulement en tant qu'elles sont par elles-mêmes perturbatrices de l'ordre moïque fondé, mais surtout en ce qu'elles réintroduisent cette redoutable discontinuité dont le rappel suscite l'angoisse d'annihilation[50]». Le sujet vieillissant a de quoi subsister tant qu'il vit, même s'il sait que tout passe, et lui-même. Mais comment réagira-t-il à ce savoir? Les possibilités en sont diverses, selon les individus. Et je reviens ici à la thèse que je posais au début de ce livre: il importe de saisir son vieillissement, pour pouvoir agir sur lui par l'évaluation qu'on en fait et par la résistance dynamique à laquelle il donne lieu. Si la conscience de ce phénomène est faible, l'individu réagira selon la structure de sa psyché qui risque de nous entraîner dans quelques excès pathologiques; si elle est attentive, le *je* tentera de maintenir son aire de localisation, c'est-à-dire une certaine distance face au vécu, et il le fera par le jeu et la création à partir des touches du temps qui passe et de la structure psychique inamovible.

Avant tout, le *je* doit assurer des rapports continus avec des objets comme pôles d'investissements hors lui. Pour ce faire, il lui faut pratiquer une économie libidinale à travers les pertes qu'il subit: assumer les deuils et en même temps accomplir de nouveaux investissements, et dégager un sens de ces expériences.

Certes, il en est ainsi depuis la naissance qui marque l'entrée dans la temporalité. Comme je l'ai souligné, les diverses étapes de la séparation d'avec la mère, exemplaires à cet égard, ont même contribué à la configuration de cette structure psychique dont je parlais, mais il est difficile d'accepter les deuils successifs au fur et à mesure qu'on vieillit, alors que l'être propre semble atteint dans son intégrité et que les objets d'amour échappent non seulement dans la dialectique d'un désir vécu à deux, mais à cause de la fatalité de la mort. Sans compter l'effet du temps sur nos idéaux individuels et collectifs: ils s'usent, eux aussi — «Tout commence en mystique et finit en politique» (Péguy) — quand ils ne deviennent pas hors contexte et périmés. Comment donc le sujet persiste-t-il alors en lui-même? Un peu à la façon de l'organisme vivant qui, nous l'avons vu au chapitre précédent, met en jeu spontanément une fonction équilibrante de suppléance. Mais la grande différence, et pour le meilleur et pour le pire, c'est que le sujet est intelligent et plus ou moins conscient. Il n'a pas toujours les réactions sûres de l'organisme, mais il peut inventer des solutions là où l'organisme est bloqué par les limites de son programme individuel. Son champ d'action est aussi beaucoup plus vaste, puisqu'il doit garder cette distance qui le constitue non seulement à l'égard du corps, mais aussi à l'égard du psychisme, du rationnel, du social. Combien plus subtiles et plus complexes doivent être ses stratégies! Heureusement que le *je* peut accumuler les fruits de ses expériences et, dans bien des cas, se diriger comme à tâtons grâce au radar d'une perception obscure des situations. Ainsi voit-on des personnes apparemment peu réflexives vieillir harmonieusement. Elles réalisent déjà ce que je veux approfondir, et peuvent m'inspirer.

Puisque le sujet persiste en évaluant une situation d'extériorité soumise au temps, comment, d'une façon encore plus concrète, accomplit-il alors son rôle? À l'égard de lui-même, un premier aspect de ce rôle, c'est de circonscrire en lui les *objets* du vieillissement. Mes genoux sont moins flexibles, mes pattes d'oie se multiplient, mes yeux ne voient plus de près, mes réparties sont moins vives, les mots me manquent soudain, l'exercice de tel sport me fatigue excessivement. Cerner une situation et l'analyser permet d'échapper aux préjugés et aux mythes qui enveloppent les phénomènes sociaux et particulièrement le vieillissement, et d'assumer certains effets du temps sur soi. Oui, je vieillis... puis-je conclure, mais pas sans avoir vérifié si ma difficulté n'est pas que passagère, si elle n'est pas le fait d'une crise ou d'une maladie... en tout cas, elle ne peut être le fruit de la mort à l'œuvre en moi! Puis-je pallier les effets négatifs du vieillissement? avec un bon éclairage ou des lunettes? par de l'antigymnastique? par des exercices de mémoire? Discerner ce qui permet de vieillir en douce et l'utiliser est encore le fait d'un sujet qui affirme son dynamisme sur des parties du corps et de la psyché atteintes par le temps. Mais ce sujet doit encore aller plus loin et en venir à sa totalité d'individu pour s'accepter alors avec un ralentissement, une fatigabilité, une fragilité plus grande; le sujet qui ne vieillit pas endosse le vieillissement de l'individu auquel il s'identifie! Et il continue de s'investir comme objet d'amour. Narcissisme nécessaire à la survie et aux relations avec les autres, qui ne va pas de soi. Il suppose l'amour non seulement d'un soi blessé, mais vulnérable, et à la fin, mortel.

Un second aspect du rôle du *je*, c'est de reconnaître les pertes subies à l'extérieur et de s'ouvrir au travail de deuil. La première opération est facile, la seconde l'est moins quand il s'agit de la mort d'êtres chers, de la perte d'un emploi et d'un statut social, qu'elle soit anticipée ou qu'elle coïncide avec la retraite. Par contre, il est plus complexe de dépister ce qui, sous l'effet du temps, s'use irrémédiablement dans une relation amoureuse ou d'amitié; ne faut-il pas, pourtant, après des efforts inutiles pour en ranimer la flamme, en prendre son parti et oublier? S'alléger du poids lourd de ce qui est en train de mourir? Comme c'est vite dit quand on pense aux ruptures et aux divorces dont la difficulté se fait de plus en plus forte avec l'âge. Justement, la société qui pense l'âge avancé comme un temps de vie au ralenti, tant pour le corps que pour la libido, ne comprend pas les recommencements amoureux à cet âge et alourdit le poids de la perte: le deuil à assumer serait beaucoup plus grand que l'investissement nouveau escompté! Ce que la société ne voit pas, c'est que souvent le deuil est aux trois quarts réalisé et que seule l'habitude — une forme de l'instinct de mort selon Freud — cimente encore la relation[51]. Ne vaut-il pas mieux s'en remettre au dynamisme du sujet? Faire son deuil... oublier. On pourrait peut-être rapprocher ici l'interprétation psychanalytique de Bianchi d'une philosophie de l'oubli[52]? L'oubli est au service de l'instant, du plaisir, de la vie. Il permet de multiples guérisons et des recommencements. Le sujet qui fait son deuil oublie: il éclate et se multiplie, il est même devenir. C'est en lui qu'apparaît avant tout le dynamisme du psychisme.

X

LE DYNAMISME À L'ŒUVRE DANS LA VIE

Ce dynamisme organique et psychique, on le voit à l'œuvre chez beaucoup de gens; on dit qu'ils vieillissent bien. En témoignent des exemples nombreux qui sous-tendent et animent mon propos. Je veux seulement faire état d'une recherche menée par Le Fregus[53] sur les *Dynamismes positifs du vieillissement*, dont les résultats furent présentés par G. Leclerc et J. Proulx au colloque de l'Association québécoise de gérontologie, tenu à Hull le 20 décembre 1983 et dont les conclusions constituent une base solide pour cette étude.

Ces chercheurs se demandaient «s'il existait des dynamismes qui demeuraient à peu près intacts avec l'âge et si l'on trouvait même des dynamismes qui allaient normalement en se renforçant». Pour eux, le mot dynamisme désigne «une capacité durable d'agir ou de réagir, d'ordre biologique, psychologique ou psychosocial, contribuant ou pouvant contribuer au maintien de l'autonomie et de l'épanouissement de l'individu». Un premier volet de leur recherche porte sur la littérature scientifique francophone et anglophone des dix années qui la précèdent, un second consiste en cinquante-quatre entrevues de personnes âgées de soixante à quatre-vingts ans. Leurs conclusions sont étonnantes et bouleversent bien des idées reçues: elles prouvent que chaque individu vivant une sénescence normale conserve ses dynamismes positifs et, dans bien des cas, les accroît. Ainsi, au point de vue physique, même si les forces déclinent et que les réactions sensorimotrices s'affaiblissent, la locomotion et la capacité de s'adonner à des activités physiques multiples et variées, comme la marche, la danse, la natation, certains travaux manuels, se conservent jusqu'à un âge très avancé. Les enquêtes semblent prouver que plus on est actif, plus on a des chances de le demeurer longtemps, mieux on s'en trouve, et plus on vit vieux (enquêtes de Palmore, Sula, Confort, Klemmick).

Le fonctionnement intellectuel demeure à peu près le même malgré un léger ralentissement dans les réactions aux tests de psychomotricité et aux tests sensoriels: le déclin est beaucoup moins étendu et plus lent à apparaître qu'on le croit. La capacité d'apprendre, et donc d'évoluer, de changer et de s'adapter dépend plus de la personnalité que de l'âge. Même la mémoire à court terme, si nécessaire dans l'apprentissage, ne fait pas défaut si on la soumet à des exercices appropriés. Découverte étonnante: la capacité de s'adapter au changement serait plus grande chez les personnes âgées (enquêtes de Grannic et Friedman, Dennis, Hultsch, Labouvie-Vief et Gonda, Taub et Long, Hulicka-Huerta et Horton).

Les mêmes conclusions semblent se dégager à l'égard de la communication avec les autres: relations personnelles, sexualité, capacité de s'engager, etc. (enquêtes de Smith, Harris et Burden, Schonfield, Dooghe, Pastoello, Casady, Wax, Eugene). Leclerc et Proulx remarquent que le «dynamisme social de la personne âgée paraît étroitement lié à un vieillissement réussi et à la satisfaction à l'égard de la vie». Cette constatation explique beaucoup de choses. Certes, il est vrai que bien des personnes vieillissent mal: leurs travers s'accroissent, leurs relations se détériorent, et elles nous semblent insupportables. Mais si ces personnes s'isolent, c'est que déjà elles n'étaient pas faciles à vivre, et elles peuvent difficilement s'améliorer alors qu'elles ne sont plus soumises aux contraintes de la vie de travail et de la famille. Par ailleurs, si on ne vit pas habituellement avec des personnes âgées, on a tendance à exagérer leur déclin et leurs humeurs parce qu'ils ne sont pas relativisés dans le temps et aussi parce que nos yeux sont déformés par les préjugés à leur égard.

Dans leurs entrevues, les chercheurs ont pu constater que les dynamismes déjà acquis, tout en persistant, sont cependant marqués par le vieillissement. Ainsi, l'activité se déploie de préférence dans les projets immédiats, à court terme et plus orientés vers la satisfaction personnelle; le goût d'apprendre, n'étant plus stimulé par la compétition, s'oriente davantage vers le développement de l'être et la contemplation; enfin, la capacité relationnelle, le désir d'établir de nouvelles relations devient plus sélectif.

Y aurait-il des dynamismes qui s'améliorent avec l'âge? Oui, si l'on considère comme dynamisme la capacité de donner un sens global à l'existence, d'être heureux, tolérant, de développer une sagesse, une tendance à relativiser les valeurs et les modèles pour s'attacher à des valeurs plus fondamentales, etc. (Stesen, Blazen, Trayman, Hellebrandt, Ellwell, Cohen, Ryss, Porges et Dutton, Boylin-Gordon-Nehrke-Hendricks)[54].

C'est trop beau pour être vrai, penseront encore quelques pessimistes. Mais ces dynamismes existent vraiment, même si tous ne les mettent pas à l'œuvre et si, assurément, des maladies n'en paralysent pas quelques-uns.

Mais, pour une fois, contemplons ceux qui vieillissent harmonieusement: ils nous inspirent un art de vivre. Pour être efficace, cet art doit tenir compte de la réalité du vieillissement pour soi-même et pour les autres, mais aussi de sa relativité: à l'intérieur de soi, tout ne vieillit pas également et en même temps, bien qu'une certaine synergie de fonctions s'affirme à la longue, et les gens ne vieillissent pas tous au même rythme. Aussi, cet art de vivre est-il éminemment personnel: il ne s'agit pas de recourir à des techniques, et encore moins à des recettes efficaces à tout coup, mais de réinventer sa vie au fur et à mesure que la griffe du temps la serre de plus près.

Deuxième partie

À chacun d'inventer son vieillissement

L'art du vieillir que je suggère en évoquant successivement certains couples d'oppositions n'est ni un catéchisme ni un manuel de préceptes: il sollicite l'invention de chacun. À partir de quel âge entre-t-il en jeu? Sans doute dès lors que l'individu prend conscience de son vieillissement. Cependant j'ai cru bon de privilégier une époque qui marque beaucoup la vie. Dans les civilisations comme la nôtre où le travail est organisé, à la fois imposé comme une tâche et célébré comme une vertu, où presque tout individu est à quelque titre un travailleur, c'est le moment de la retraite. Ce moment peut être très diversement vécu, et nous aurons souvent à revenir sur lui. Mais je voudrais en rapporter dès maintenant une expérience dont on voudra bien excuser le caractère personnel: il s'agit de la mienne.

I

ENTRE PRINCIPE DE RÉALITÉ
ET PRINCIPE DE PLAISIR

Depuis que j'ai pris ma retraite, le temps m'apparaît comme une immense plage sur l'Atlantique, à perte de vue. Je peux m'y promener ou m'y étaler. Indéfiniment. M'y perdre. Illusion? Peut-être. Le temps socialisé nous rejoint où qu'on soit. Mais pas complètement; comme bien des retraités, je me sens libérée d'un temps de travail et d'engagement tissé serré, où les responsabilités se sont accumulées avec la maturité, sans avoir la possibilité ou le désir de les alléger.

Le temps devient mon bien. Pour quoi faire? Justement, pour vivre à mon rythme; l'employer — ou le perdre — selon mon plaisir. Ouf! je respire enfin! J'échappe aux horaires, à la programmation, aux obligations; aux autres? Comme si le principe de réalité fondait au soleil de ma liberté nouvelle, la vie est devant moi à perte de vue. Je rêve? Le sentiment de retrouver les aspirations de mon adolescence avec un avantage supplémentaire: plus de carrière à entreprendre! Et peut-être, encore mieux, le monde tout rond de mon enfance.

Longue respiration, détente. Je me roule dans un bienheureux farniente... Est-ce que ne s'inaugure pas pour moi une vie, dont certains ont rêvé en 1968, fondée sur le principe de plaisir? Mon temps, n'est-ce pas celui de l'instant où passé et futur se conjuguent dans l'extase? Oui, mais comment se maintenir à cette hauteur: Icare ne risque-t-il pas toujours la chute? De toute façon, l'expérience de la béatitude ne persiste pas dans le vide, l'ennui risque de m'envahir. La liberté à l'égard du temps, certes, mais pour quoi faire au juste? De toute façon, puis-je éviter que les tracas me rejoignent? Les formalités à remplir pour la pension, la tension artérielle à contrôler, les sollicitations de tout genre au bénévolat, à des organisations du troisième âge, à des travaux professionnels à plein ou à mi-temps? Dès lors, entre le vide et le trop rempli, j'hésite. Que choisir et selon quels critères? Un difficile équilibre à réaliser entre plaisir et réalité, entre retraite et insertion sociale.

En tout cas, pour moi, une exigence: garder vif ce sentiment de liberté éprouvé d'abord d'une façon jouissive dans le contre-temps de la retraite. Mais sans oublier, toutefois, que le plaisir s'amenuise si je n'engage pas ma liberté dans une production de mon cru, tout comme si je cède à toutes les sollicitations de l'extérieur. Ainsi s'impose pour moi comme une priorité de continuer la pratique de l'écriture. Car c'est avant tout dans la créativité (œuvre d'art, réflexion, activités de son choix) que la liberté s'épanouit. Et c'est justement parce que le travail professionnel est si souvent régi par des règles strictes: les lois du nombre et de l'efficacité, et découpé en pièces détachées, que semblait perdue cette liberté soudain retrouvée à la retraite.

Ma réflexion s'élargit, les autres me deviennent présents. J'évoque leurs réactions, leurs objections même. Beaucoup m'opposeront que n'est pas artiste ou écrivain ou philosophe qui veut. Ils ont raison... jusqu'à un certain point. Que de talents peuvent s'épanouir sur le tard! Mais lorsque je parle de créativité, c'est avant tout d'une invention de sa vie: voir avec un œil neuf les choses et les événements, apprendre à discerner ses possibles, choisir ce qui convient dans l'occupation de son temps, ne pas céder aux pressions, développer des activités épanouissantes parce qu'elles rejoignent profondément l'être — souvent les hobbies pratiqués antérieurement éclairent là-dessus. Je pense aux bricoleurs de tout genre, ces «patenteux» qui décident, l'un de recycler des jouets pour les enfants qui n'en ont pas, l'autre de faire des cabanes d'oiseaux pour le plaisir d'attirer chez lui des espèces rares; je pense aux esthètes de la table en quête de nouvelles cuisines, qui mijotent des plats à partir de leur imagination gastronomique, à ceux qui veulent découvrir leur corps et qui s'adonnent à la gymnastique holistique, au yoga, au tai-chi ou à toute autre technique. Je pense aussi à ceux qui ont la nostalgie de l'œuvre qu'ils n'ont jamais pu réaliser, des loisirs auxquels ils ont dû renoncer; à la retraite, c'est le temps des pinceaux, des instruments de musique, des collections, des agrès de pêche. Pas en vue d'une carrière, mais pour le plaisir. Occupations multiples qui permettent au désir de s'investir et donnent sens et intérêt à la liberté retrouvée.

Les occupations choisies ne prennent pourtant pas toute la place dans la vie. On a beau être à la retraite, les autres sont toujours là. Un enfer qui menace notre bienheureuse liberté? Un paradis pour ceux qui n'arrivent pas à se créer une solitude festive? Je réalise qu'il y a un équilibre difficile à établir entre la vie personnelle et l'insertion sociale, nécessaire parce que inévitable et surtout parce que bienfaisante. Je tâtonne... cet équilibre est à rajuster à mesure que je me réapproprie mon temps comme aire de liberté. Cette tâche exige attention et créativité. D'autant que les modèles anciens me semblent périmés. La place de l'autre est à redécouvrir dès lors qu'elle ne s'impose plus comme reliée à la famille et au métier. Les proches, parents, amis, voisins m'entourent en quête de communication et d'amour. Heureusement! J'ai beau me sentir bien dans ma peau et ma retraite, vient un moment où la liberté, même engagée dans des activités, s'émousse faute de stimulations venant de l'extérieur. Moi aussi, j'ai besoin des autres, de leur amour, de leur désir, de leurs besoins, même abusifs. À moi de savoir refuser à l'occasion. De nombreuses questions se posent alors pour concilier chaleur humaine et liberté. Comment réorganiser mes relations avec les miens, de sorte que l'affection circule sans empiéter sur l'autonomie de chacun? Quels contacts garder avec son ancien milieu de travail? Les «ci-devant» n'ont-ils pas encore un avenir d'amitié et d'amour? Ces questions me travaillent.

Mais le problème ne se pose pas seulement sous l'angle individuel. Quel que soit son âge, chacun est citoyen avec des droits et des obligations, même si en vieillissant il retrouve souvent chez lui un côté délinquant sympathique, qui s'harmonise bien avec sa liberté retrouvée! Les droits des aînés, il faut savoir les réclamer quand ils ne sont pas respectés. De même continuer à lutter pour que la terre soit plus humaine pour chacun de ses habitants. Suivre les informations, étudier les programmes politiques, prendre position, voter. Imaginons une société qui enlèverait le droit de vote à ses membres à un âge donné! Quel tollé de protestations! Des possibilités diverses s'offrent à moi. Je peux être une citoyenne discrète, c'est-à-dire plus à distance, me contentant d'exercer l'essentiel de mes devoirs civiques. Ou je peux encore être très active comme le sont les membres des Grey Panthers ou des Comités de citoyens âgés, ou des retraités qui décident de devenir conseillers ou maire de leur localité. En somme, le style d'adhésion et le niveau d'engagement à ces mouvements ou à la politique demeurent extrêmement personnels, selon les forces et le goût de chacun. Cependant, il me semble que des jeunes attendent de leurs aînés quelque chose de plus que l'action, une réflexion approfondie, fondée sur l'expérience et le savoir accumulés au cours de leur vie. Et peut-être l'art de «laisser le temps au temps», selon l'expression du président Mitterrand.

C'est pourquoi lorsque j'analyse ainsi l'insertion sociale en fonction des retrouvailles avec soi-même à la racine de son être, dans le plaisir et la liberté, je suis tentée de me délester lentement d'un surcroît d'activités, de me détacher du fonctionnement trop institutionnalisé de grands groupes, de me retirer peu à peu. De toute façon, les forces viendront à manquer. Mais cette décision n'est pas prise uniquement en fonction de la réalité. Plus encore, elle exprime la passion de me consacrer au plaisir du texte et aux activités de mon choix. À ce moment de ma réflexion, je suis tentée d'écrire que bien vieillir, c'est apprendre à aller à l'essentiel: d'abord et avant tout, réconcilier en soi le principe de plaisir avec le principe de réalité!

II

ENTRE LA VIE DERRIÈRE SOI ET
LA VIE DEVANT SOI

> — À quoi te sert, Socrate,
> d'apprendre à jouer de la lyre
> puisque tu vas mourir?
>
> — À jouer de la lyre avant de
> mourir.

> Platon

Le sentiment du temps déployé devant soi comme lieu de tous les possibles est inhérent à la jeunesse: projets innombrables, rêves d'amours fabuleuses, ouverture à plus d'une carrière, espoir de changer le monde. Vieillir, c'est aussi faire des choix de tout genre, amoureux, professionnels, politiques. Accepter d'accomplir des projets qui engagent la vie, lui donnent une forme de plus en plus précise et parfois déterminante. Le champ de l'avenir ne semble pas se restreindre pour autant, mais il est balisé et orienté.

Cependant le temps passe et le passé s'accroît. Ce temps, nous le mesurons quand nous pensons à notre âge: à chaque anniversaire, un an de plus. Mais cette mesure est en quelque sorte abstraite. Ce qui est derrière nous peut se compter, mais ne se capitalise pas aisément. Notre mémoire n'est pas un sac qui se remplirait progressivement. Quand nous regardons en arrière, nous n'évoquons jamais que quelques souvenirs épars. Et nous avons très peu le sentiment que le stock de nos souvenirs disponibles augmente: à mesure que le temps passe, les plus anciens sombrent dans un oubli d'où ils n'émergeront plus. Du moins, est-ce là la perception du plus grand nombre dont l'intérêt pour le présent est tel qu'il estompe le passé. Ils peuvent dire avec Emmanuel Berl: «Mon passé m'échappe. Je tire par un bout, je tire par l'autre, et il ne me reste dans la main qu'un tissu pourri qui s'effiloche. Tout devient fantôme et mensonge[1].»

Mais ce à quoi nous pouvons être sensibles, c'est à un allongement global de notre passé qui implique que notre fin se rapproche. Toutefois, ce raccourcissement de notre avenir reste aussi abstrait, comme est abstraite l'idée que nous sommes mortels. Que l'allongement du passé signifie une réduction du futur, un moins, oui, mais ce moins n'est pas calculable: nous ne connaissons pas le total dont nous pourrions déduire ce que nous avons vécu pour savoir ce qui nous reste à vivre. Notre fin se rapproche, mais elle est encore indéterminée: il y a toujours un au-delà du présent vers quoi nous avons à nous tourner pour que ce présent ait tout son sens. Nous pouvons dire «demain» et parler au futur.

Reste que sonne l'heure où s'amenuisent les forces pour accomplir nos tâches et poursuivre notre style de vie. Fatigue excessive à la fin d'une journée de travail ou dans l'exercice des sports habituels. L'un remarque: «Je ne peux plus passer des nuits blanches pour achever un texte ou pour faire la fête»; l'autre: «J'ai peine à me lever le matin si je n'ai pas dormi huit heures, alors qu'autrefois ce n'était pas le cas.» Plusieurs se plaignent: «Je manque d'énergie pour entreprendre de nouveaux projets», alors que d'autres leur rétorquent: «Si au moins nous pouvions achever ceux en cours!» Vague sentiment d'usure et de fragilité plus grande que n'explique plus un surmenage passager: on réalise que c'est «la temporalité du vieillissement qui sert d'arrière-fond à l'aggravation de la fatigue[2]». Le vieillissement se concrétise comme un déclin. Cruelle prise de conscience.

C'est dans l'étroitesse de cette temporalité que le sentiment de la finitude peut se faire plus aigu. Simone de Beauvoir l'a très bien analysé: «Il (le vieillard) sait que sa vie est faite et qu'il ne la refera pas. L'avenir n'est plus gonflé de promesses, il se contracte à la mesure de l'être fini qui a à le vivre[3].» Elle évoque alors la double finitude de la condition humaine: la première est de l'ordre des faits: «l'existence a un terme qui lui vient du dehors», l'autre ressort de la doctrine sartrienne de la liberté: «Si on me donnait cent ans de survie et de santé, je pourrais me lancer dans des entreprises neuves, partir à la conquête de domaines inconnus... J'aurais tort, d'ailleurs, la prolongation de mes jours ne m'arracherait pas à ma finitude, même l'immortalité ne la briserait pas[4].» Car, selon Sartre, l'acte même de liberté est créateur et assomption de sa finitude. Dès lors qu'il instaure une action, l'individu se choisit comme fini — et c'est en ce sens d'ailleurs que sa vie est unique. Les choix passés s'imposent encore à lui: l'œuvre à laquelle il s'est identifié réclame un achèvement. Que faut-il sacrifier alors dans ses activités sans renoncer à sa personnalité, sans avoir le sentiment que sa vie est rétrécie et étriquée? Problème difficile à résoudre qu'ont souvent à affronter les créateurs et les grands réalisateurs, de même que ceux qui se sont beaucoup investis dans leur emploi. Il s'agit pour eux de mieux équilibrer leur énergie pour tenir le plus longtemps possible. À chacun de trouver sa solution: ralentir son rythme? moins entreprendre? renoncer à des tâches secondaires? Parfois cette crise peut s'accroître si elle coïncide avec la peur de l'impuissance sexuelle et de la perte des objets d'amour. L'impression est forte que, si on laisse tomber des éléments de sa vie, la perte totale s'ensuivra. On redoute une certaine mort.

La tentation est alors grande d'abandonner tout avenir. À quoi bon les projets qui risquent d'être interrompus avant qu'on ne les réalise, même celui qui correspond à l'engagement de sa vie? On a l'impression que «tout est joué ou presque, et les parties encore molles, encore potentielles de notre destin, sont en passe de se dessécher et de durcir à leur tour[5]». On s'achemine vers la déchéance. Ne va-t-on vivre alors que dans le regret d'une jeunesse disparue? dans l'essoufflement d'un présent trop lourd pour ses forces? sans futur? Et pourtant, à tout âge on a besoin de l'avenir, la seule alternative à la mort. «Le devenir acculé à son degré 0 d'avenir cesse purement et simplement de devenir [...] chaque temps du temps prend tout son sens en corrélation avec les deux autres[6]», dit encore Jankélévitch. Certes, ce sont là de beaux discours, mais comment se laisser convaincre? Où trouver le dynamisme nécessaire pour entreprendre encore et toujours quelque action qui se déploie dans le temps?

Il faut le trouver en soi-même, car il arrive que la prise de conscience du vieillissement provoque un choc et suscite un réveil énergétique. On peut comprendre alors que vieillir ne signifie pas qu'on est seulement soumis à un processus de déclin, mais aussi qu'on doit et qu'on peut se réaliser à travers des avancées discontinues. Pour l'animal humain, il y a toujours une possibilité de prendre son sort entre ses mains et de construire sa vie. Jusqu'à la fin. Il peut même décider à l'avance de s'enlever la vie à un certain âge et dans certaines conditions; et il peut avoir déjà recours à des associations qui œuvrent pour une mort en toute dignité. Cependant, aussi longtemps qu'elle dure, la vie humaine réclame l'action et une action qui ne soit pas uniquement immédiate, mais qui se déploie dans le temps. L'intelligence ne peut se contenter du présent, elle anticipe toujours et projette.

Justement, aujourd'hui où l'espérance de vie n'a jamais été aussi élevée et où se multiplient les octogénaires, les réalisations des personnes âgées foisonnent. À la retraite, qui survient souvent à un âge encore jeune, quelques-uns continuent parfois à travailler à temps partiel, d'autres entreprennent à l'occasion une seconde carrière, qu'ils sont ordinairement obligés de se tailler sur mesure, faute de structures d'accueil pour leur projet dans le monde du travail. Certains se consacrent entièrement et volontairement au troisième ou au quatrième âge. Je pense à Marc Scalon qui a fondé *Le temps champenois*, dont il est l'animateur et qui nourrit un rêve: une maison d'accueil pour personnes âgées mentalement dépendantes, dont il a déjà élaboré les plans de construction et de fonctionnement. Je pense aux nombreuses personnes qui œuvrent régulièrement au Québec dans les organismes de lutte pour les droits des retraités. Mais la plupart du temps, les retraités laissent aux plus jeunes les projets de longue durée; pour eux, le temps se rétrécit, les forces s'amenuisent: ils sentent l'urgence de vivre à leur rythme et de se laisser aller au principe de plaisir dont je faisais l'éloge dans le chapitre précédent. Ils préfèrent s'adonner à des actions plus ponctuelles, à courte et moyenne durée. Ils y sont stimulés d'ailleurs par les médias qui mettent en évidence les réalisations souvent originales des retraités. Le mensuel *Notre temps* va de l'avant dans ce domaine; dans chaque numéro, la chronique «Initiatives» raconte des entreprises de retraités: baliser des sentiers de promenade en Savoie, restaurer un vieux moulin de village, donner des cours d'appoint à de jeunes adultes pour qu'ils poursuivent leurs études, se construire un observatoire pour contempler les étoiles, enregistrer des livres pour des non-voyants, etc. Une fois par an, le même magazine organise un vaste concours de projets qui sont primés. En 1988, sur un millier de projets, trente-huit ont été retenus et ont bénéficié de subventions. Le grand prix spécial de 20 000 francs a été accordé à l'association *Pistes* qui propose à de jeunes délinquants, «par la mise en place de loisirs et de culture populaire, un lieu de partage et de solidarité d'où ils pourront prendre un nouveau départ dans la vie». Ainsi donc, pour ces retraités, le «jamais plus» d'une activité se transforme en «encore ceci et cela».

Cependant, le projet le plus court comme l'œuvre la plus étalée dans le temps peuvent être interrompus. Ce qu'à la fin il faut accepter, c'est *l'inachevé* dans ses travaux, ses amours, sa vie. Oui, mais n'a-t-on pas appris qu'il faut mener à bonne fin ses entreprises et les réaliser le plus parfaitement possible? Or, cette règle a tendance à considérer l'être humain comme un Prométhée tout-puissant à qui rien ne résiste. Pour Paul Tournier, il y aurait un deuil à faire de l'accomplissement; on ressent l'inaccomplissement comme un échec, et pourtant il appartient à la condition humaine: nous ne sommes ni illimités ni immortels comme des dieux. Et il ajoute qu'«accepter de vieillir, c'est trop simple, trop vague [...] Parler d'accepter l'inachevé, c'est plus précis. On ne peut le faire qu'avec gravité[7].» Cette acceptation, me semble-t-il, commande une certaine attitude de détachement qui prendra des formes diverses, selon les circonstances: un renoncement à une action purement personnelle, une délégation de pouvoir pour la continuation des projets, une collaboration cordiale à son œuvre dirigée par les autres. Et peut-être cette attitude engendrera-t-elle une nouvelle mentalité, fixée moins exclusivement sur le déroulement de l'histoire, l'accumulation des faits, les réalisations comptabilisées, et qui prendrait le temps de vivre intensément l'instant présent où passé et futur se conjuguent. Il arrive parfois que dans cet esprit des personnes vieillissantes se livrent à une activité que j'appellerais récapitulative. Elles prennent plaisir à se souvenir du passé, non d'une façon linéaire, mais à partir d'expériences qui les ont marquées et dont le sens leur apparaît mieux alors qu'elles ne sont plus dans le feu de l'action: découvertes, bouleversements, recommencements, pour les relire sous un jour nouveau. Ainsi donc, ma vie. La mémoire se prête à ce travail au fil du désir: elle conserve beaucoup plus de souvenirs qu'on ne le croit et la fonction de les évoquer semble lui convenir, particulièrement à un certain âge. La psyché se ressource à cette activité qui lui permet d'apprivoiser un moi émietté, à la dérive, trop souvent fragilisé par les pertes. La raison y trouve aussi son compte: elle perçoit des liens entre certains événements qu'elle n'avait pas décelés autrefois et se plaît à réorganiser sa vision des choses. L'être humain a besoin de saisir le sens de sa vie au cours des ans et de garder de lui-même une image cohérente, belle, séduisante, à travers les vicissitudes de l'existence. Certes, cette contemplation jouissive de soi relève de l'auto-érotisme, mais celui-ci me semble alors très légitime: il fortifie un narcissisme qui tend à disparaître avec l'âge, alors qu'il est particulièrement nécessaire. Autrefois, on trouvait des vestiges de cette pratique récapitulative dans les récits, les histoires, les journaux personnels, etc., qui constituent un aspect important de la tradition orale, beaucoup plus morcelée et plus libre que l'histoire proprement dite... Dans la modernité, ces entreprises semblent plus secrètes et personnelles: elles s'inscrivent moins souvent dans la conscience collective, sauf si celui qui les accomplit est un écrivain: Simone de Beauvoir en est un bel exemple. Plus récemment, elles trouvent une nouvelle légitimité dans une société très narcissique où l'autoportrait et l'autobiographie jouissent d'une vogue singulière.

Le meilleur stimulant à persister dans la réalisation d'une œuvre qui intègre à la fois la fidélité dans la durée, l'acceptation de l'inachevé et l'ouverture à l'extase nous vient des artistes. Sans doute parce que, le plus souvent, leur projet a été librement formé; personne, que l'on sache, n'a contraint Tintoret à dire: «Moi aussi je serai peintre.» Mais aussi parce que leur choix engage toute une vie: non seulement il répond à un désir insatiable, mais encore l'objet de ce désir ne cesse de se dérober. Dès lors nulle œuvre, même finie, ne met un point final à la quête. Pour l'œuvre peinte et composée, le *non finito* est de règle. De l'artiste, on peut dire ce que Husserl dit du philosophe: il en est toujours au commencement, même lorsque sa vie touche à son terme.

Une exposition récente a rassemblé sous le titre *L'œuvre ultime* quelques-unes des dernières toiles de peintres morts depuis le début de ce siècle[8]. Elle nous aura apporté le témoignage émouvant d'une passion inextinguible. Et elle nous aura montré aussi que vieillissement ne signifie pas déclin. Ce qui fait la grandeur d'un artiste ne s'altère pas dans la vieillesse. Si nous étions Chateaubriand devant le dernier tableau de Poussin, y décèlerions-nous «l'admirable tremblement du temps»? «Imperfection mystérieuse et souveraine plus belle que l'art achevé», précise Barthes dans la préface à *La vie de Rancé*. Peut-être, mais à voir les œuvres ultimes de Cézanne, de Picasso, de Klee ou de Matisse poursuivant l'inlassable recherche de ce qui est pour chacun d'eux l'essentiel, j'avoue avoir été surtout sensible à la permanence de chaque style ou à la puissance indéfectible du renouvellement, à la jeunesse perpétuelle de certaines vieillesses, sans doute privilégiées, mais exemplaires.

Pour renforcer le témoignage de *L'œuvre ultime* et le rendre plus sensible à des gens qui ne sont pas des amateurs de peinture, j'ai cherché dans certains textes de ces artistes, intégrés dans le catalogue de l'exposition, le moteur de leur productivité jusqu'à un âge très avancé. Eux-mêmes le disent clairement: c'est la *passion* qu'ils ne cessent de nourrir pour l'œuvre à accomplir. Cette passion se traduit par une vive sensibilité aux *exigences de cette œuvre*, aux problèmes techniques que pose sa réalisation, et par leur acharnement à en venir à bout.

Renoir (1841-1919). «Je me bats avec mes figures jusqu'à ce qu'elles ne fassent qu'un avec le paysage qui leur sert de fond, et je veux qu'on sente qu'elles ne sont pas plates, ni mes arbres non plus.»

Monet (1840-1926). «Ces paysages d'eau et de reflets sont devenus une obsession. C'est au-delà de mes forces de vieillard et je veux cependant arriver à rendre ce que je ressens. J'en ai détruit [...] J'en recommence [...] et j'espère que de tant d'efforts, il sortira quelque chose.»

Et si l'œuvre présente l'exige, ils sont prêts à abandonner toutes leurs certitudes pour recommencer à neuf.

Matisse (1869-1954). «Je suis donc un vieux cinglé qui veut recommencer sa peinture pour mourir enfin satisfait. Ce qui pourtant est impossible [...] Et pourtant, pour être en accord avec moi-même, je ne puis faire autrement.»

Rouault avait détruit une bonne partie de ses œuvres. Voici ce qu'écrit à son sujet Christian Servos: «Rouault, peu d'années avant que le temps de sa vie ait pris fin, a peint des œuvres dont la création paraît se jouer dans les parties les plus jeunes de l'imagination. Avec une fougue et une ardeur qu'on souhaiterait à la plupart des jeunes, il a exécuté des œuvres qui témoignent de l'état perpétuel d'alerte où il se tenait.»

Cézanne (1839-1906). «Je travaille opiniâtrement, j'entrevois la terre promise. Serai-je comme le grand chef des Hébreux, ou bien pourrai-je y pénétrer?»

Nous ne pouvons tous vivre *l'intensité* dont parle Fernand Léger qui ajoute: «non pas jour par jour, mais heure par heure — nécessité de saisir l'événement nouveau juste au moment où le projecteur le balaie». Les œuvres et les dits de ces artistes que je viens d'évoquer — et il y a en a bien d'autres — sont des phares qui témoignent de la plénitude qu'à tout âge *la vie devant soi* peut atteindre. Que l'imaginaire de chacun se mobilise donc pour réaliser objets, projets et, avant tout, une vie qui se renouvelle.

III

ENTRE L'ÂGE DU CORPS ET L'ÂGE DU CŒUR

> *C'est l'âge du cœur et de l'esprit qui est déterminant pour toute relation, sexuelle ou non.*
>
> Un interviewé du *Rapport Hite* pour hommes.

Comment définir l'âge du corps? Problème difficile pour lequel la société nous offre deux instruments approximatifs: les concepts d'âge chronologique et d'âge biologique. Le premier se réfère à la naissance, elle-même est réduite à l'acte qui l'enregistre. La date de naissance se situe dans un temps historique: nous appartenons à telle année, à tel groupe d'âge, à telle période de l'histoire. Bien plus, pour les astrologues, elle nous inscrit sous un signe du zodiaque, dans des demeures célestes précises et — comble de précision — l'heure exacte de la sortie du ventre de notre mère donne la «conjoncture» qui module et spécifie l'appartenance à notre signe: notre présent et notre avenir portent la marque d'un destin cosmique! Toute notre vie, nous serions donc prisonniers du moment où nous sommes venus au monde! De toute façon, la date de notre naissance nous accompagnera jusqu'à notre mort et elle figurera sur la pierre tombale, tout au moins sur les registres, à côté de celle qui indique la fin de notre vie.

Pas étonnant qu'ainsi estampillés, plusieurs essaient de tricher avec cette date, parfois pour se vieillir afin d'avoir accès à certaines institutions, plus souvent pour se rajeunir afin de satisfaire aux exigences de l'idéologie à la mode. Toutefois, certains jeux sociaux aident à conjurer le fatum de la naissance, comme la célébration de la fête anniversaire avec son rituel approprié. Et certaines pratiques tentent de nous réconcilier avec lui, comme la généalogie qui l'inscrit dans l'histoire des ancêtres, et les horoscopes dont les prédictions peuvent aider ceux qui y croient à contrer le sort.

L'âge biologique, lui, correspond à l'état de santé. Il «fait le bilan des potentialités physiques d'un individu[9]». Très apparent dans l'enfance et l'adolescence, parce qu'il coïncide avec l'âge chronologique, il devient plus secret au fur et à mesure qu'on vieillit. Cependant, l'état de l'organisme le révèle, en dépit du secours aux fontaines de Jouvence qui tentent de préserver l'aspect de jeunesse car l'usure gagne sournoisement certains organes du corps avant de s'étendre à l'ensemble. Aussi, je souris quand je lis sous la plume de Muriel Oberdeler: «Vous avez l'air jeune parce que biologiquement vous êtes jeune[10].» On a longtemps parlé du temps de cicatrisation ou de l'état des artères comme signes révélateurs de l'âge biologique. Aujourd'hui, on fait des analyses plus sophistiquées où entrent en jeu non seulement les résultats d'un examen détaillé de la personne, mais aussi les pronostics relatifs à son mode de vie: l'activité physique, l'usage de spiritueux et du tabac, le type de travail professionnel, le stress, etc. Il n'en demeure pas moins qu'on est porté à évaluer soi-même son âge par la «forme» qu'on ressent et l'apparence qu'on offre aux autres. — Et ici je donne raison à Muriel Oberdeler. — On a toujours l'espoir d'entendre amis et connaissances remarquer: «Ce que tu fais jeune!», ou tout au moins: «Tu ne vieillis pas!» Mais vient un moment où après avoir fêté un nombre impressionnant d'anniversaires, le plus beau compliment qu'on nous fait, c'est de nous attribuer la jeunesse du cœur.

Qu'est donc cet âge du cœur? Quand on l'évoque, le cœur ne désigne évidemment pas l'organe vital qui pendant longtemps fut un révélateur de l'âge biologique. Ce qu'il désigne, c'est un ensemble de qualités qu'on attribue habituellement au commencement de l'existence plutôt qu'à la fin: ouverture et confiance dans les autres, goût pour la vie, foi dans l'avenir, capacité d'entreprendre. Mais ce qui semble aller de soi à l'aube de la vie devient remarquable quand on franchit un certain âge. Aussi le «cœur jeune» témoigne-t-il d'un dynamisme singulier qui plaît et intrigue en même temps. À quelqu'un qui lui demande le secret de sa jeunesse, le Dr Tournier répond: «Mon secret, c'est que j'ai passé plusieurs fois dans ma vie par un de ces tournants décisifs qui apportent un rajeunissement du cœur parce qu'ils marquent un nouveau départ[11].» S'agirait-il aussi de la capacité d'aimer et/ou de devenir amoureux? D'aimer, oui. On attribue la jeunesse du cœur à des personnes affectueuses, généreuses, tolérantes, dévouées. Lorsque ce sont des jeunes qui gratifient des aînés de ce compliment, ils veulent signifier que ceux-ci sont indulgents avec eux, ne les critiquent pas continuellement, les comprennent et sont plus proches d'eux que certaines personnes plus jeunes, comme leurs éducateurs ou leurs parents. Ils adorent Denise Gray, cette actrice de 93 ans qui tourne encore au cinéma, et qui pense que «les vieux ne sont supportables qu'avec les jeunes». Et comme Harold, ils sont amoureux d'une Maud non conformiste et encore plus dynamique qu'eux. S'il s'agit de «tomber en amour», les tabous qui l'interdisent au vieux ne sont pas complètement disparus. Et pourtant qu'une grand-mère ou un grand-père devienne amoureux, ils n'en méritent que plus d'être félicités pour leur jeunesse de cœur. Et ils le sont parfois. N'est-ce pas ce que laisse entendre Thomas Mann quand il fait dire au coiffeur de son héros quinquagénaire épris d'un adolescent, dans *Mort à Venise*: «Somme toute, nous n'avons que l'âge que nous donne notre esprit, notre cœur»?

Certes, il est agréable de se faire attribuer cette jeunesse du cœur, d'être parmi ceux «à qui les rides vont bien parce que leur capacité d'aimer ne se ride pas». N'est-ce pas là quelque peu l'idéal que je propose dans ce livre? Oui, mais jusqu'à un certain point. Le monde de la jeunesse est merveilleux, mais il s'écoule comme le temps: les jeunes ne le sont pas éternellement; ils vieillissent eux aussi. Et en vieillissant, ils acquièrent des qualités qu'ils n'avaient pas. Souhaitons qu'ils conservent les plus beaux attributs de leur passé qui ne sont pas en contradiction avec leurs vertus nouvelles! Ce contre quoi je veux mettre en garde ici, c'est une survalorisation de la jeunesse qui serait un modèle, même pour les aînés. Prenons donc avec un grain de sel le compliment du «cœur jeune», en ayant soin de remarquer en riant: «J'espère que j'ai aussi un peu de sagesse... que je réfléchis avant de parler... que je ne m'emballe plus pour un rien!»

Mais n'accorder aucune importance à l'âge peut constituer un écueil. Il est vrai qu'on a exagéré les critères qui s'appuient sur l'âge et que les classifications en groupes d'âge ont quelque chose d'odieux: elles gomment le vécu singulier des gens. Cependant, on a bel et bien un âge chronologique contre lequel on ne peut rien et un âge biologique pour lequel on peut beaucoup, mais pas tout! Aussi, lorsque les parents d'une jeune amie dirent un jour de moi: «On dirait que M. est sans âge... n'a-t-elle pas des amis de tout âge?», j'ai protesté: «Et la peine que j'ai à me relever quand je suis longtemps assise, et la fatigue que j'éprouve à marcher longtemps, et ceci, et cela...» La jeunesse du cœur peut faire oublier aux autres le vieillissement du corps, mais pas à celui qui doit «faire avec».

Il y a aussi des expériences et des plaisirs qui sont propres à des âges différents. Celui du gourmet, par exemple: il faut un certain temps — et des moyens! — pour apprendre à apprécier de bons vins et des mets raffinés. De même, certains âges sont plus favorables que d'autres à des apprentissages. Le tout jeune enfant peut apprendre à parler plus d'une langue à la fois, entre six et douze ans, il mémorise avec une facilité étonnante. Platon pensait qu'il fallait attendre à quarante ans pour faire de la philosophie, et le penseur québécois Fernand Dumont lui donne raison. Jugement discutable. Ce que ces philosophes veulent dire, c'est qu'il faut avoir acquis un certain bagage d'expériences et être capable de les analyser avec distance pour en faire un objet de réflexion. De même, on ne peut pratiquer l'art d'être grand-parent avant de l'être effectivement. Avoir un âge déterminé, quel qu'il soit, importe donc même si l'âge du cœur permet de voguer entre deux âges.

IV

ENTRE FLAMMES ET BRAISES

L'homme est le seul animal à être un amoureux permanent.

D'après J. Ruffié

Grand âge, vous mentiez, route de braise et non de cendres...

Saint-John Perse

Un des lieux privilégiés pour mettre à l'épreuve le dynamisme de l'être humain vieillissant, c'est la sexualité. Y a-t-il un âge où celle-ci diminue, s'étiole, pour à la fin disparaître?

Évoquer la sexualité n'engage pas à parler exclusivement du sexe: depuis Freud, ceux qui la prennent pour objet de réflexion le savent bien. Mais dans le langage quotidien, son nom réfère avant tout à l'activité du sexe et, par exemple, au succès et à la fréquence des entreprises sexuelles. C'est en ce sens que nous l'entendrons ici, d'abord comme point de départ. À un certain âge, en effet, l'activité sexuelle peut susciter crainte et tremblement chez l'un et l'autre sexe. Les hommes et les femmes sont encore victimes des stéréotypes d'une société patriarcale où le phallus symbolise le pouvoir mâle. Pour l'homme, les appréhensions portent avant tout sur sa capacité de faire l'amour, encore et toujours, par quoi se manifeste la puissance du phallus. Quant à la femme, elle a beau être émancipée, son anxiété s'accroît à mesure qu'elle répond de moins en moins aux critères requis pour séduire: minceur, beauté, jeunesse. Attirera-t-elle encore les regards? saura-t-elle se faire désirer? continuera-t-on à l'aimer?

Entre performance et impuissance

Du côté des hommes, la question de leur virilité commence à se poser aux environs de la cinquantaine. Finis entre eux les discours de vantardise sur leurs performances; c'est dans le creux d'une oreille complice qu'ils murmurent leurs défaites et leurs appréhensions: «J'ai perdu deux centimètres en un an et je ne durcis pas complètement... Hier, total fiasco... Comment c'est pour vous?... En 1944, je débarquais en Normandie, je libérais Paris, et vous, vous étiez un héros de la Résistance... et maintenant on ne peut plus bander... La chute de l'Empire romain, quoi!... Vous savez, Jim Dooley, il est fini. Il ne peut plus. Il ne vaut plus rien[12].»

Ce sentiment d'anéantissement de la personnalité relié aux défaillances du pénis, nul ne l'a exprimé mieux que Romain Gary dans son roman *Au-delà de cette limite, votre ticket n'est plus valable*. D'abord dans les propos machistes du richissime Américain Jim Dooley que je viens de citer, mais aussi dans ceux plus subtils du narrateur qui avoue: «Un homme est venu faire ma caricature et c'était très ressemblant[13].» Jacques Rainier est plus raffiné que Jim Dooley, mais surtout il est, à 59 ans, amoureux d'une très jeune femme; ne doit-il pas pour lui faire honneur — et maintenir cette liaison — adopter un rythme sexuel qui lui permette d'être compétitif avec les jeunes gens? Et pourtant, Laura ne l'exige pas de lui; elle semble même l'aimer pour ses tempes grisonnantes et l'expérience de la vie qu'il a acquise. Lorsque, au sommet de l'amour, elle murmure: «Ah toi! toi!», il s'agit plus d'un hommage à l'habileté de son partenaire que d'une invitation à recommencer, mais Jacques l'interprète comme une stimulation à la répétition qu'il redoute de ne pouvoir accomplir longtemps. Il est partagé entre les «je t'aime» et «je ne veux pas finir[14].» Il pense alors à la mort: «Je voudrais mourir plutôt que vivre mal[15].» Il n'accepte pas de vivre sans intensité ou plutôt, comme la suite de l'histoire va le montrer, de renoncer à son personnage d'homme fort et puissant.

Ce roman original et percutant ne se laisse pas résumer facilement. Jacques acceptera à la fin d'être secondé dans la stimulation amoureuse par la présence d'un homme sexy qui jouera auprès de lui le rôle de chauffeur... et de stimulation déclenchante! Pour lui, c'est là un aveu de faiblesse: ne plus jouer seul le rôle sexuel dévolu au mâle. C'est pourquoi il écrit son histoire afin qu'elle serve d'exemple à son fils. Que celui-ci cesse de le considérer comme un surhomme: «Elles [ces pages] vont t'aider aussi à te débarrasser de cette image du père toujours vainqueur — les deux oreilles et la queue — dont je t'ai accablé dès ton enfance[16].»

Ne reprochons pas à Romain Gary de n'être ni moraliste ni gérontologue; il ne serait peut-être plus alors cet excellent romancier que nous apprécions tant! Mais il faut bien dire que si son roman nous aide à saisir sur le vif les affres de l'homme vieillissant aux prises avec son sexe, il ne suggère que des palliatifs farfelus pour sauver l'honneur des mâles en détresse: si l'un faiblit, qu'un autre vienne à son secours! Au surplus, tous ne peuvent se payer un Ruiz à domicile! Cependant, Gary met sur les lèvres de Lily Marlène, autre personnage du roman, des constatations qui peuvent aller dans le sens de mon livre: «... tu as mal vieilli. Tu es resté jeune. Les hommes vieillissent toujours mal quand ils restent jeunes...[17]» La sagesse est de reconnaître peu à peu son vieillissement et de l'assumer dans l'adaptation inventive de son corps à des conditions nouvelles. Et quand il s'agit des pratiques sexuelles qui se jouent à deux, ne pas avoir peur de s'ouvrir à l'autre de ses difficultés: il ou elle peut en éprouver également. De la complicité jaillira un *ars erotica* personnalisé! Nous y reviendrons. Pour le moment, il nous faut voir de plus près comment se présentent les appréhensions des femmes vieillissantes par rapport à leur sexualité.

Entre séduction et rejet

La ménopause est la marque la plus profonde du vieillissement corporel de la femme, mais pas nécessairement la plus apparente. On a longtemps cru qu'elle s'accompagnait d'une diminution du désir sexuel. Les spécialistes et les statistiques nous ont rassurés sur ce sujet. Au contraire, bien des femmes, lorsqu'elles n'ont plus la crainte d'être enceintes, sentent leur libido décuplée. Celles que gênent encore certains ennuis locaux, comme l'assèchement du vagin, peuvent les pallier par de nombreuses techniques[18]. D'autres qui ont opté pour une hormonothérapie n'éprouvent même pas les inconvénients de la cessation des règles. Là où le bât peut blesser, c'est lorsque la ménopause coïncide avec une crise très fréquente dans la vie des femmes: l'appréhension de ne plus être une partenaire sexuelle valable. Même si cette crainte se fonde sur des signes parfois ténus, en tout cas sur des transformations beaucoup moins radicales que celles de la ménopause, ce sont eux qui terrifient. Évidemment, cette crise intervient plus rapidement et plus fortement chez les femmes qui se perçoivent surtout à travers les stéréotypes du féminin. Elles sont habituées à se considérer comme des objets de séduction: elles font tout pour attirer le regard et se garder belles et jeunes, avec une panoplie complexe de moyens et de stratégies. Mais arrive un temps où elles se sentent impuissantes à retenir les yeux des promeneurs, des collègues, du compagnon lui-même. Leur désir, habitué à prendre naissance dans le regard de l'autre, s'étiole — ou s'exaspère s'il s'agit de l'indifférence du partenaire amoureux attiré par une plus jeune. Il se peut que ces femmes soient encore très belles, mais ce sont leurs exigences propres ou celles de leur compagnon qui provoquent cette crise. C'est le cas de Mara qui nous le raconte dans son *Journal*[19]: elle a pu supporter une tâche professionnelle et ménagère lourde, avec en plus les exigences et les fantaisies de son mari, jusqu'au jour où elle sent celui-ci se détacher d'elle: il est séduit par une femme plus jeune. Pendant des mois, elle est anéantie... Puis, soutenue par des amies féministes, elle ressuscite peu à peu en analysant sa vie antérieure. Elle peut ainsi prendre conscience de son aliénation, s'identifier et retrouver son désir.

Mais toutes les femmes ne parviennent pas à se retrouver. C'est ce que nous montre Benoîte Groult à travers le personnage d'Iris dans *La part des choses*[20]. Iris est à la fois une héroïne d'Harlequin qui rêve d'un amour indéfectible, et une admiratrice de l'*Histoire d'O*. Belle, riche, amoureuse, elle croit au bonheur perpétuel. Mais justement, l'auteure nous la décrit alors qu'elle organise un voyage autour du monde pour le tournage du film d'un ami dans le but d'oublier son cinquantième anniversaire: «Elle arrivait à cet âge angoissant où l'on peut basculer d'une heure à l'autre de l'état de femme encore belle qui peut prétendre, à celui de vieille femme que les regards effleurent sans jamais s'allumer [...] Amollie par les démaquillants, démunie de ses faux cils, bijoux et accessoires magiques, Iris avec sa chevelure de gitane ressemblait à une sorcière sur le déclin qui aurait perdu ses secrets.» Et pourtant, Alex aimait sa femme ainsi «désarmée, cabossée, rudoyée par la vie» qui lui rappelait toujours celle qu'il avait épousée: «À ces moments-là, il aurait voulu la prendre dans ses bras. Mais il la devinait tendue, impatiente de s'abriter derrière une protection en tube, en pot ou en bombe, de courir vers sa salle de bains qui ressemblait à une salle d'opération, pour procéder à ce laborieux accouchement qui lui ramenait chaque matin une étrangère en armure. Mais comment lui faire admettre qu'il préférait l'odeur moite et enfantine de son cou, quand elle avait eu chaud, aux puissants arômes de ses parfums [...] De toute façon, Alex se savait impuissant à calmer chez Iris cette angoisse de vieillir qui empoisonnait désormais chaque heure de son existence[21].» Agressive, maussade, rappelant sans cesse son âge qu'elle tente de maquiller, jalouse des multiples intérêts d'Alex dans la vie, Iris va peu à peu le pousser dans les bras de la jeune Betty comme si, à jouer parfaitement bien le modèle de la femme vieillissante, elle incitait l'homme à lui donner la réplique prévue. Elle se console un moment dans une scène étrange, où pour se masturber, elle s'imagine comme O, pieds et poings liés, à la merci d'un mâle — pas son mari parce qu'il s'était toujours refusé à ces fantasmes — qui la prend violemment. On sent qu'Iris ne s'en sortira pas. Trop de stéréotypes la paralysent. Sa fortune devient pour elle un obstacle de plus: elle lui fait espérer des fontaines de Jouvence impossibles. La fixation sur son apparence l'empêche d'accéder à son être propre. Son tour du monde, une lente dérive...

Ces évocations littéraires des années 70-80 sont-elles trop sombres? Correspondent- elles encore au vécu des hommes et des femmes d'aujourd'hui? Certes les mouvements féministes ont dénoncé les modèles qui corsètent l'un et l'autre sexe. Les femmes jouissent de plus d'indépendance économique, elles accèdent davantage à des métiers et des professions qui, autrefois, étaient des chasses gardées masculines, elles semblent plus libres et plus autonomes. Mais les hommes les acceptent-ils ainsi? Quelques-uns, oui, et ils sont un gage de meilleures relations sexuelles. D'autres sont en pleine déroute et ne savent que faire. Beaucoup optent encore pour celles, plus jeunes, qui admirent avant tout leur virilité jusqu'à ce qu'ils craquent à leur tour. Un sexe qui s'effondre, et c'est le Phallus qui en prend un coup!

De nos jours, s'accentue aussi l'écart entre les modèles des jeunes et des vieux. Il compromet les progrès que je viens d'évoquer, comme si ceux-ci n'étaient possibles que jusqu'à une certaine limite, celle de l'âge défini par les autres. Toujours la Méduse à l'œuvre. Les vedettes du showbiz sont particulièrement sensibles, car pour elles une relation d'amour avec le public double celle qu'elles peuvent vivre plus personnellement. Alain Souchon exprime l'angoisse de l'heure fatale dans une chanson qui a été primée par le grand public en 1989:

> Quand je serai k.o.
> poussé en bas
> par des plus beaux
> des plus forts que moi
> m'aimeras-tu encore
> dans cette petite mort?

Le succès populaire de cette chanson n'est-il pas la preuve que les gens se reconnaissent dans le chanteur et voudraient annuler la coupure jeune-vieux? Pour les hommes seulement?

Venons-en aux personnes classées socialement comme âgées. Que diraient-elles de leur sexualité? Très peu de choses. Elles n'ont pas vécu la libération des mœurs des années 60; elles se ressentent encore des tabous qui ont longtemps pesé sur le sexe et qui ont marqué leur éducation. Ce silence ne signifie pas pour autant chasteté, continence, inanition du désir, mais seulement pudeur à dire «la chose». Crainte, aussi, car la société n'accepte pas la vie sexuelle des personnes âgées. S'il arrive qu'elles parlent de mariage ou, encore pire, de cohabitation, c'est le scandale dans la famille! Qui l'eût cru de la part des bébés-boomers pour qui tout était permis? Elles subissent une répression telle que plusieurs renoncent à leurs projets et tiennent secrets leurs sentiments amoureux. Une histoire touchante: Monsieur Paul est admis à 84 ans dans un institut de long séjour. Après une pneumonie, il baisse considérablement et devient incontinent d'urines et de selles. Mais il est valide. Il fait la connaissance de Lydia, 75 ans, hémiplégique, réduite au fauteuil roulant, mais coquette et nullement diminuée par son état. Monsieur Paul la conduit dans les couloirs; ils deviennent amoureux. Dans le même temps, les incontinences de Monsieur Paul cessent. L'équipe soignante favorise cette idylle. Monsieur Paul parle de se remarier. Scandale des enfants qui s'opposent. «Le monde renversé», disent-ils. Vaincu, Monsieur Paul se laisse aller et meurt après trois semaines[22].

Les médias jouent ici un rôle d'ouverture important dont j'ai fait état au chapitre VI. D'abord, ils diffusent le savoir géron-tologique. «La vie amoureuse et la sexualité des personnes âgées existent bel et bien: les sexologues l'attestent», nous dit *Le Monde*. «Dans l'esprit de beaucoup, la vie sexuelle est associée à la jeunesse, rarement à la vieillesse. Est-ce que l'âge de la retraite signe vraiment la fin de l'activité sexuelle?» demande un jour-naliste du même quotidien à Gérard Zwang, chirurgien et sexolo-gue, dans une entrevue des 4 et 5 août 1985. Ajoutons que les médias publicisent souvent avec sympathie, voire avec attendrisse-ment, les nouvelles expériences des personnes âgées. Ils contri-buent ainsi à ouvrir une brèche dans le discours convenu sur l'âge, au risque de valoriser un autre modèle, tout à l'opposé de la tradition, où papi et mamie sont constamment actifs, pratiquent la gym, le golf, la danse... et l'amour, bien entendu! Modèles des vieux calqués sur les attributs des jeunes, mais en prenant soin de séparer soigneusement les uns des autres: sauf quelques rencon-tres alibis avec des jeunes, les aînés doivent rester entre eux. Même dans ce contexte, la part faite à la sexualité gagne de plus en plus de terrain. Encore des titres: «Sexualité, l'amour toujours[23]», «L'amour au couchant[24]», «Amour, tendresse, amitié[25]».

Ce climat suscite les expériences amoureuses et encourage les aînés à les dire. C'est maintenant que s'amorce leur révolution sexuelle. À petits pas, et en douceur. Un exemple révélateur: une table ronde télévisée à Radio-Québec en 1989 nous présente une dizaine de femmes et d'hommes qui racontent comment ils ont refait leur vie avec un ou une partenaire entre 60 et 85 ans. Un schéma se dessine à travers ces récits dont j'ai goûté la simplicité, la discrétion, l'entrain: monsieur séduit, fait des avances à ma-dame à qui il propose des rencontres amicales. Madame accepte, après une légère hésitation. Elle est à son tour conquise par les attentions délicates de son partenaire à qui elle ne peut refuser quelques marques plus tangibles d'affection. Des projets amou-reux se forment. Il arrive que la famille les condamne: en vain. À la fin, c'est le mariage ou la cohabitation. Tous semblaient très heureux. Annulé le préjugé que dénonce de son côté Shere Hite, selon lequel les gens âgés «ne doivent éprouver ni passion, ni sentiments romanesques pour leurs partenaires récents ou plus anciens, ne doivent plus former de liens affectifs forts comme lorsqu'ils étaient jeunes — et surtout ne doivent exprimer aucun de ces sentiments en public, pas même s'embrasser ou se tenir la main[26]».

Les documents les plus explicites sur la sexualité des aînés s'inscrivent dans de vastes enquêtes, dont les plus importantes aux États-Unis sont les *Rapport Hite* pour les femmes[27] et pour les hommes[28] qui consacrent un chapitre aux personnes âgées. Aussi, le *Consumer's Report* de Brecher[29] sur l'amour et la sexualité après 50 ans. Une constante paraît dans ces rapports: si hommes et femmes craignent pour leur vie sexuelle à partir de la cinquantaine et appréhendent le pire, autant, plus tard, ils se disent heureux et satisfaits. Ils ont déplacé sur la sexualité l'accent mis sur le sexe; ils n'ont pas renoncé aux pratiques sexuelles, mais ils les ont réinventées selon leur propre force, en donnant plus de place aux sentiments de tendresse. Et ils n'éprouvent plus de gêne à manifester leur amour envers les autres, par quoi ils évitent l'isolement qui peut les menacer. Écoutons ces témoignages.

D'abord dans le *Consumer's Report*:

«L'amour à l'âge mûr est bien davantage une expérience de partage doublée d'un processus acquis de don mutuel — un peu moins excitant mais plus profond. C'est un merveilleux manteau chaud par une journée affreusement froide.» (Homme marié depuis 45 ans)

Moins excitant l'amour? Et pourtant: «[...] ce tressaillement du cœur quand ma femme entre dans la pièce, la hâte de la voir après en avoir été séparé depuis plusieurs heures.» (Homme de 62 ans). «L'amour à l'âge avancé est tout aussi passionnant que l'amour dans les jeunes années. J'ai toujours des frissons quand j'aperçois mon mari dans la rue ou quand j'entends sa voix au téléphone. Et quand il me touche... alors!» (Femme mariée depuis 38 ans)

En tout cas, la sécurité s'y ajoute: «Mon mari et moi sommes de meilleurs compagnons et plus proches depuis sa retraite... L'amour se porte mieux et la sexualité ralentit juste un peu... L'amour devient confortable et sûr.» (Femme de 54 ans)

Une femme de 74 ans vient de se remarier avec son premier amoureux quelques mois après la mort de son mari avec qui elle a vécu une vie heureuse, sauf les trois dernières années où elle n'a pas eu de relations sexuelles. Elle commente ainsi sa nouvelle vie amoureuse: «C'est merveilleux et sa façon de me toucher est parfaite. Nous avons opté pour un lit extra grand après avoir couché dans des lits jumeaux durant nos premiers mariages. Nous dormons nus, souvent en nous enlaçant. Il nous arrive de nous réveiller en pleine nuit et de faire l'amour. Parfois maintenant son pénis se durcit [...] Un dernier commentaire à propos de la sexualité orale versus le coït. Mon nouveau mari dit que de cette façon, il peut me donner du plaisir et y trouver le sien aussi; et c'est exactement ce qui se passe. Je trouve que les hommes qui ont des rapports sexuels très forts, avec orgasme, se retournent tout de suite dans leur lit et s'endorment, oubliant complètement leur femme. Cette autre façon fait donc durer le plaisir plus longtemps.»

Et dans le *Rapport Hite* pour hommes:

«En vieillissant, j'ai appris à mieux me comprendre moi-même et à connaître les besoins et désirs de mon amante. Je ne suis plus aussi obsédé par la pénétration et l'éjaculation. J'ai appris à savourer mon plaisir et à ne plus gaspiller mon énergie, à ne plus m'angoisser en essayant d'être aussi performant qu'il le faudrait d'après les livres.» (57 ans)

«Ma vie sexuelle est très différente parce que je fais les choses que j'ai toujours voulu faire, parce que je me sens moins inhibé pour parler ouvertement de la sexualité, et parce que je trouve que pour les femmes c'est la même chose.» (57 ans)

«L'âge est un processus de ralentissement. Dans le domaine sexuel aussi. J'ai découvert qu'en vieillissant, mon désir sexuel diminuait. Mais l'aspect affectif de la sexualité, lui, augmente.» (63 ans)

«Trop de gens pensent que seuls les individus physiquement jeunes et beaux peuvent aimer faire l'amour, mais ce n'est pas vrai. Ça peut être fantastique même avec des seins flasques, des muscles ramollis, des rides et une bedaine.» (63 ans)

«En ce moment, les érections, ça va, ça vient, d'une façon un peu imprévisible, mais ça n'a pas tellement d'importance. Ça peut revenir facilement et assez vite si la stimulation continue. De toute façon, ça n'affecte que le coït vaginal, et on peut très bien faire l'amour autrement.» (79 ans)

«On a un peu ralenti. On a tous les deux soixante-quatorze ans, mais on est toujours aussi passionnés.»

«Le temps m'a rejeté comme une épave sur une île de désir tropical, où mes seuls compagnons sont les sirènes du souvenir et les fantasmes que je peux évoquer en contemplant la douceur du clair de lune sur les petites vagues qui festonnent le rivage nocturne. Mais ma tête et ma main sont encore capables de trouver le moyen de célébrer les samedis soirs et l'aube frissonnante du dimanche matin. En vérité, Dieu ne m'a pas oublié.» (92 ans)

Un épanouissement de la sexualité apparaît donc chez des aînés de plus en plus nombreux. Il suffirait d'ailleurs qu'il existe chez quelques-uns seulement pour que d'autres en viennent à la conclusion: pourquoi pas moi?

Ces personnes vérifient donc ce que nous enseigne la biologie: que l'homme est, parmi tous les animaux, le seul «amoureux permanent». Pour l'animal, le besoin du coït est lié à la reproduction: il ne se fait sentir qu'à des moments ponctuels qui correspondent à la ponte ovulaire de la femelle. Chez l'*homo sapiens*, le coït peut être pratiqué en toutes saisons, comme à tout âge, ou presque. L'imagination s'y emploie: «Depuis longtemps, dit Ruffié, elle s'est mise au service du sexe[30].» Ce qui est visé, c'est le plaisir. Mais de multiples règles sociales sont venues contenir cette puissance sexuelle. À mesure que les sociétés ont passé du nomadisme à la vie sédentaire, et que le patriarcat s'est instauré, le coït a été, comme pour l'animal, ordonné à la reproduction. On a sacrifié le plaisir à la richesse et au pouvoir du maître, propriétaire et seigneur, le *pater familias*. La jouissance ne s'est retrouvée que dans les marges ou comme un privilège du dominant. Les idéologies religieuses ont légitimé très souvent cet état de fait. Le christianisme a transformé un lieu de jouissance en un sanctuaire pénible de reproduction: «Tu enfanteras dans la douleur.» La jouissance est coupable et doit être réprimée. Aujourd'hui, les interdits religieux n'ont plus autant d'audience, mais la civilisation brime toujours la sexualité. Freud a insisté sur ce caractère répressif de la civilisation qui, sous prétexte d'endiguer la violence possible de la libido, en bloque le dynamisme. C'est ainsi que le principe de réalité se construit aux dépens du principe de plaisir et en vient à s'identifier à l'exigence du rendement[31]. Marcuse a longtemps réfléchi sur cette question, en se fondant sur une interprétation que Freud avait suggérée sans la développer, et il propose une réconciliation entre réalité et plaisir, parlant alors de «sublimation non répressive[32]». Il entend par là que les *pulsions sexuelles*, sans rien perdre de leur énergie érotique, dépassent leur objet immédiat et érotisent les relations non érotiques et anti-érotiques entre les individus et entre eux et leur milieu[33]. En somme, la raison doit faire confiance à la libido, qui n'est sauvage que parce qu'elle est réprimée; les pulsions peuvent être sublimées par une rationalité libidineuse. On sait que cet appel à «une transformation de la valeur et de l'étendue des relations libidineuses» a inspiré le mouvement étudiant de 1968. On en trouve un écho vers les années 70-80 dans les mouvements de femmes qui ne réclamaient plus seulement l'égalité dans la vie professionnelle et politique, mais le droit de vivre leur sexualité d'une façon active et autonome, particulièrement en décidant du moment de mettre au monde un enfant.

Dirons-nous que Marcuse inspire aujourd'hui les personnes vieillissantes? Sans doute pas, mais certaines d'entre elles illustrent son propos: celles que j'ai évoquées comme exemplaires dans la découverte d'ajustements de leur vécu amoureux et sexuel. Les loisirs de la retraite et le goût du bonheur leur suggèrent un art d'aimer qui permet d'établir de nouveaux rapports entre hommes et femmes.

V

ENTRE L'AVENTURE ET LE COIN DU FEU

En vieillissant, les hommes doivent se préparer à devenir des explorateurs.

T.S. Eliot

Pour la personne vieillissante, y a-t-il un lieu privilégié, un lieu qui lui soit naturel, ou bien l'espace sans lieu, l'espace de tous les lieux lui reste-t-il ouvert? Le premier mouvement est de situer les aînés au cœur de chez soi, au coin du feu; là où sont dispensés lumière, chaleur, calme. Cette image du vieillard se berçant près de la cheminée est dans toutes les mémoires:

Quand vous serez bien vieille, au soir à la chandelle
Assise auprès du feu, dévidant et filant...[34]

Évocation du feu comme d'un lieu confortable, repère de sécurité, halte salutaire des nomades à la fin du jour, havre de paix qui réunit la famille. Un commun dénominateur à toutes ces images: le repos et l'immobilité. Mais sont-elles encore à l'ordre du jour? Le coin du feu est anachronique depuis l'invention du chauffage central. La cheminée n'a sans doute pas disparu, mais elle est devenue un luxe: les gens d'une certaine classe sociale la retrouvent avec délices les fins de semaine à la maison de campagne. Mais reste-t-elle connotée par la même atmosphère, associée aux mêmes images? Le calme, la détente, oui, mais aussi la convivialité et le prestige. Reste, bien sûr, que les personnes les plus âgées goûtent toujours, quand elles le peuvent, la chaleur de ce sein de la maison.

Doivent-elles pour autant se vouer à l'immobilité, trouver là un avant-goût du repos éternel? Le vivant peut aménager des lieux clos, mais il se lance aussi à la conquête des étoiles; la vie appelle la mobilité, l'ouverture à l'espace et à l'aventure.

Grandir, n'est-ce pas d'abord, encore tout petit, pouvoir quitter les bras de sa mère et se mouvoir dans une aire de plus en plus vaste? La croissance s'achève à peine... et bientôt l'univers s'offre à l'adolescent comme l'objet d'une quête ardente. Les premiers voyages — qu'il s'agisse de déplacements en des lieux proches, comme dans *Le grand Meaulnes*, ou de périples au loin sur les traces des Eskimos ou des Mayas — s'enveloppent de la ferveur des pèlerinages: on marche à la rencontre de l'ailleurs comme d'un dieu inconnu. Chaque pas nous rapproche de lui, nous enveloppe de son atmosphère, nous le livre en même temps que nous nous livrons à lui. Son lieu devient magique: il nous fascine. En risquant l'aventure des lointains, le jeune s'instruit, certes, mais aussi découvre sa personnalité et poursuit un long travail d'identification: il va vers lui-même. C'est en cela que ces aventures sont exemplaires et préfigurent celles que l'adulte entreprendra plus tard en y consacrant moins de temps quand il sera sur le marché du travail. Vivent alors les vacances, qui permettent de reprendre la route! Peu à peu, cependant, il constate qu'il aime moins bouger et davantage «se régénérer», comme c'est la mode de le dire. Le Club Aventure perd alors sa clientèle au profit du Club Med! On réalise aussi, en vieillissant, que certains effets de grâce, de liberté, de renouveau peuvent s'éprouver même sur place: il y a de l'aventure dans l'amour, dans la recherche intellectuelle et artistique, dans le développement d'une compétence. Restent quelques exceptions, tels les grands explorateurs pour qui la découverte des espaces et des gens est une passion jamais assouvie. Le capitaine Cousteau en est un exemple. Je pense aussi à ce modeste fonctionnaire de la Ville de Montréal qui, à sa retraite dans la cinquantaine, a largué les amarres et fait la traversée de l'Atlantique en bateau à voile. Depuis, il explore les voies d'eau de la France et des pays environnants, tout doucement, au rythme de son plaisir, séjournant dans les villages de son choix. Et il n'est pas le seul à choisir encore l'aventure.

Qu'en est-il habituellement à la retraite? Ce qui se passe aujourd'hui est beaucoup plus complexe qu'autrefois lorsque, après une longue vie d'un travail souvent harassant, tous aspiraient à retrouver la tranquillité de leur quartier ou de leur maison ou de leur résidence secondaire. Les retraites sont souvent anticipées dès la cinquantaine et de plus les clubs de retraités qui pullulent offrent des conditions de voyage alléchantes. On n'a jamais rencontré autant de personnes d'un âge certain se promenant un peu partout dans le monde. Vivent-elles pour autant une expérience aussi intense que celle qui marque les premiers départs que j'ai évoqués au début de ce chapitre? Bien des gens en doutent à cause de l'hyperorganisation de ces périples et du souci du confort qui y préside. Pourtant, je pense à des connaissances, à des amis pour qui ces voyages — souvent les premiers qu'ils accomplissent seuls après la mort d'un compagnon ou d'une compagne, ou à deux après une vie professionnelle et familiale astreignante — furent un total dépaysement vécu avec ferveur et l'occasion d'un renouveau radical (le dynamisme du vieillissement ne consiste-t-il pas à renaître plusieurs fois?). Mais pour plusieurs, ces voyages participent plus de la promenade que de l'aventure: il leur suffit de découvrir un coin ignoré, des paysages et des gens un peu différents à travers les itinéraires les plus classiques, avec le plus de confort possible et sans trop se fatiguer. Et pourquoi pas? On doit composer avec ses forces et ses goûts. Mais ces déplacements, même quand ils sont de courte durée ou conventionnels, offrent de nombreux avantages: ils coupent la routine du quotidien et permettent pendant quelques jours, quelques semaines, de vivre dans un monde autre: le monde humain du groupe avec lequel on voyage, le monde géographique des lieux visités qui invite à la curiosité, à la découverte, à la réflexion. Ces voyages exigent une adaptation minimale à des coutumes de vie ou à des caractères différents. Ils sollicitent une perception plus vive des choses, dilatent le temps, confèrent un nouveau dynamisme.

Les femmes sont les principales adeptes de ces voyages. Peut-être parce qu'elles ont été longtemps confinées à la maison, qu'elles sont moins épuisées par le travail à l'extérieur, qu'elles sont plus souples et plus curieuses de ce qui se passe ailleurs. Sans doute aussi, pour les plus âgées, parce qu'elles survivent plus longtemps que les hommes! Mais de toute façon, arrive un temps où les déplacements deviennent par trop pénibles: l'arthrose, le cœur, les rhumatismes paralysent les désirs de bouger. On remplace le voyage par des séjours dans les villes d'eau ou pour les plages ensoleillées. Ah! pour les Québécois, la Floride «aux mille soleils»! Et à la fin, on préfère rester bien au chaud, au coin du feu... ou plutôt à côté de son calorifère, avec des récits ou des albums de voyage!

Cependant il est des gens vieillissants qui n'entrent pas dans la ronde des voyages, organisés ou non. Ainsi ceux qui n'en ont pas les moyens physiques ou pécuniaires. Mais aussi ceux qui n'en ont jamais eu le goût ou qui ne l'ont plus (et qui ne s'en portent pas plus mal). Simone de Beauvoir rapporte: «Sartre causa avec Aragon, à qui il conseilla d'aller à Cuba. «Nous sommes trop âgés, dit Aragon. — Bah, dit Sartre, vous n'êtes pas tellement plus vieux que moi. — Quel âge avez vous? — 55 ans. — Ça commence à 55 ans, dit Aragon[35].» Pourtant à notre époque, il existe une telle surenchère du voyage qu'on est tenté de croire qu'il est essentiel à l'individu. C'est le déploiement dans un espace, même restreint, qui est indispensable pour son apprentissage, son évolution et sa forme. On doit tenir à ce minimum. Un cas patent. Muriel Oberleder[36] raconte une expérience menée auprès de gens âgés hospitalisés pour une longue période. Après un certain temps, on s'aperçoit qu'ils végètent et que leur état mental baisse. On divise alors les personnes en trois groupes; un premier est stimulé par de nouvelles thérapies basées sur des occupations variées, un second continue de vivre comme avant, et un troisième marche une demi-heure par jour à l'extérieur. Ce dernier groupe arrive bon premier aux tests du fonctionnement mental, avant le premier groupe qui a aussi marqué des progrès; bien plus, les personnes qui le constituent se sont mises à parler, à s'affirmer... et à créer des problèmes administratifs. Que les sédentaires retiennent la leçon!

Mais peut-être n'est-il pas nécessaire de bouger au loin, car l'aventure peut devenir, même dans le quotidien, une certaine dimension de la vie. Elle est l'événementiel qui se présente fortuitement, comme un futur possible, mais imprévisible, l'inconnu à la fois séduisant et/ou redoutable. Elle peut surgir à l'extérieur de soi, mais aussi sourdre des profondeurs de l'être: c'est une image, une idée, un rêve qui ouvre des avenues de soi jusqu'alors closes, invitation à s'enfoncer dans ce labyrinthe que chacun est pour lui-même. L'aventure ressort de la personne, car elle présuppose la conscience d'un temps où le futur peut prendre son sens, malgré l'irréversibilité de ce temps et le caractère inéluctable de sa fin. C'est ainsi, je crois, qu'il faut interpréter cette phrase de T.S. Eliot que j'ai placée en exergue: «En vieillissant, les hommes doivent se préparer à devenir des explorateurs.» Pierre Guillet intitule un livre de gérontologie *L'aventure de l'âge.* Des aventuriers de la condition humaine... même au coin du feu.

Ella Maillart, ce globe-trotter des années 30 qui n'a jeté l'ancre qu'à 86 ans, l'a exprimé clairement à la télévision française lors d'une interview à *Apostrophe,* en 1989. Elle vit maintenant à 2000 mètres d'altitude, face au mont Cervin où elle a trouvé la paix si longtemps cherchée: «Que de vagabondages vains il m'a fallu pour réaliser que l'essentiel est en nous et que le seul vrai voyage est intérieur.» Faudra-t-il donc parfois annuler la distance entre aventure et coin du feu?

VI

ENTRE SOLITUDE ET ISOLEMENT

Non, non, je ne suis jamais seul
Avec ma solitude
Je m'en suis fait une amie
Une douce compagne.

Georges Moustaki

Une longue mélopée, sur le thème de la solitude, accompagne sourdement la marche de notre siècle. Elle se chuchote à l'oreille amie dans un S.O.S. téléphonique, s'exprime à haute voix dans des interviews, se mesure dans les sondages. La solitude semble le mal absolu du XXe siècle, celui qu'on redoute le plus dans le quotidien de sa vie. Pas étonnante, donc, la réponse à cette question de la revue *Notre temps* (mai 1989): «Quels sont les principaux problèmes liés au grand âge?» Arrive bonne première la solitude, bien avant les handicaps et la dépendance physique, l'impossibilité de vivre chez soi, et même la perte des facultés intellectuelles.

Par ailleurs, dans une étude démographique sur «L'isolement des personnes âgées[37]», Thérèse Lacoh montre que le sentiment de solitude est sans commune mesure avec l'isolement effectif des personnes âgées, évalué à 31% par A.-M. Guillemard d'après des critères de possibilités de communication. Parallèlement, aux États-Unis, une vaste enquête menée auprès de milliers de gens a révélé que les personnes âgées sont les moins isolées de tous les groupes d'âge, même si elles vivent davantage seules[38]. Il semblerait donc que l'appréhension de la solitude vienne du caractère aigu de la souffrance qu'elle suscite quand on la vit: on craindrait sans cesse son retour. Et davantage quand on se sent fragilisé. Mais peut-être cette appréhension se renforce-t-elle aussi de la lamentation collective qui sourd de partout: je suis seul!

Mais encore? Qu'est-ce qui provoque ces expériences si pénibles et si généralisées de la solitude? Sans doute, pour les plus vieux, une coupure trop radicale entre la vie traditionnelle où chacun avait sa place dans la famille et dans le tissu social par la fonction qu'il exerçait, et la vie technologique et urbaine qui s'inscrit dans de vastes ensembles où l'individu se retrouve laissé à lui-même et doit forger son avenir. Pas de continuité entre les valeurs anciennes et les nouvelles. C'est le sentiment du président Pinay, pourtant actif dans la politique de son temps jusque dans la soixantaine, qui, à 98 ans, avoue ne plus se reconnaître dans le monde de la fin de ce XXe siècle: «J'ai vu naître l'automobile. Le téléphone était un luxe dans mon enfance. L'aviation était à peine née. Tous ces progrès technologiques sont pour moi une surprise et je m'en émerveille. Mais de mon temps, il y avait une grande solidarité, les gens se connaissaient et s'aidaient, alors qu'aujourd'hui chacun joue son jeu personnel sans se préoccuper des autres, ne respectant pas la parole donnée. Le sens civique a disparu. Et cette évolution de la vie, cet appauvrissement moral me sont très pénibles[39].» Mais les plus jeunes aussi, qui sont sans expérience d'un passé lointain, ont peine à s'y retrouver. Il faut donc ajouter au choc d'une coupure radicale avec le passé le mode de fonctionnement de notre monde actuel: il génère de la solitude.

Certes la famille est toujours là, dans la cité, pour mettre au monde et élever les enfants. Mais elle est de plus en plus étroite et mobile et, même si elle se fonde encore plus qu'autrefois sur l'amour réciproque de ses membres, elle est obligée de s'en remettre aux institutions — de grandes boîtes! — pour leur éducation et leur formation professionnelle. Le sentiment d'appartenance à un milieu s'amenuise alors, l'identité de chacun n'est plus clairement définie: elle doit faire l'objet d'une recherche permanente. Travail ardu. Encore davantage si l'on pense à la mobilité de l'ensemble des structures sociales qui subissent les contrecoups des vicissitudes de l'économie capitaliste et l'influence de la publicité d'un marché hyperconsommatoire. Les points de repère bougent. Nous sommes soumis au mouvement perpétuel. À cela s'ajoute le vague nihilisme de notre époque: la vérité n'est plus absolue et les seules certitudes qui comptent épistémologiquement proviennent de la science; peuvent-elles donner des assises au développement de la personnalité? Où trouver les sources d'un savoir qui inspire des règles de vie?

Les gens s'identifiaient plus facilement dans les sociétés traditionnelles; enserrés dans les institutions, chacun à sa place dans la famille, comment pouvaient-ils ressentir la solitude? Mais étaient-ils pour autant plus heureux? N'éprouvaient-ils pas plutôt le bonheur béat de ceux qui n'ont qu'à suivre l'ordre des choses? Qu'est cette sécurité en regard du développement de l'individu et de sa liberté? Déjà les penseurs des XVIIIe et XIXe siècles critiquaient l'enfermement infligé par la société de l'Ancien Régime et réclamaient l'éclatement de cette société. Au nom des droits de la personne. Siècles de luttes politiques où les libérations s'inscrivaient lentement dans l'histoire... Ce qu'autrefois on obtenait par l'action politique, aujourd'hui l'économie capitaliste d'une société technologique avancée le donne brutalement, comme à son insu, de par son fonctionnement propre: l'individu *libre* et *autonome* surgit face à elle. Mais selon sa logique interne, elle considère cet individu avant tout comme un producteur et un consommateur. Chacun a la charge de s'autodéfinir à travers sa profession et les biens du marché... Les valeurs autres, religieuses, philosophiques, éthiques peuvent circuler librement; à chacun de choisir! Opération qui comporte de nombreux risques et que redoutent bien des gens. Aussi, au modèle prométhéen d'un ego triomphant succède celui de Narcisse en quête d'identification dans le spectacle de la consommation: c'est à travers les images de la publicité que Narcisse tente de se reconnaître. Mais ces images sont des étoiles filantes et il se retrouve dans une nudité dérisoire avec un moi faible et inconsistant. D'où sa poursuite incessante et vaine des autres, comme des reflets d'un *je* possible. De plus, la solitude de l'individu face à un monde qui le laisse libre tout en le manipulant peut se doubler de l'esseulement de celui qui ne trouve pas de partenaire amoureux stable. Ces traits de notre époque sont-ils caricaturaux? Ils ont été esquissés par maints penseurs contemporains[40]. Ceux-ci justifient cette vision que confirme le sentiment de solitude d'un grand nombre. En réalité, on éprouve cette solitude moins du fait de l'isolement que par suite d'un manque d'être. Là est le fond du problème; mais Narcisse n'en est pas conscient et ce dont il se plaint sans cesse c'est de ne pas rencontrer l'âme sœur à qui s'identifier et de rester ainsi seul.

Ce destin pourtant n'est pas incontournable. Des gens arrivent à se retrouver eux-mêmes même encore à notre époque. L'image parentale peut être positive, et elle l'est plus qu'on ne le pense, comme le révèlent certains sondages récents[41]. De toute façon, si elle ne l'est pas, elle peut être transformée par un professeur, un ami, un thérapeute. Se proposent d'autres modèles d'adhésion à des groupes sociaux, centrés sur l'art, la musique, le sport, l'écologie, etc., ou sur des professions: profils d'emplois qui s'esquissent, organisation d'aide dans des pays en voie de développement, etc. Faut-il ajouter qu'encore bien des travailleurs sont heureux dans les emplois traditionnels ou plus récents, comme ceux de l'informatique et des communications? Des heures de loisirs plus nombreuses leur permettent de trouver ailleurs des lieux supplémentaires d'identification. S'il est plus difficile d'être soi-même aujourd'hui, on y gagne en originalité quand on y parvient. Innombrables sont les confessions des enfants de ce siècle, dans la presse écrite ou télévisée, qui témoignent de leur recherche et de leur réussite. Ces autoportraits sont des modèles nouvelle vague, que le public réclame, car il y trouve un encouragement. Allons plus loin: même des chantres de la solitude (dont je suis) clament bien haut la plénitude de leur vie. À l'élégie et à la mélopée succède l'idée triomphale: je suis seul parce que je suis moi et bien heureux de l'être[42].

C'est dans ce contexte qu'il faut envisager la solitude des personnes vieillissantes. Mais il importe de distinguer, comme T. Lecoh l'a fait, solitude et isolement. Ce que j'appelle isolement c'est la séparation d'avec les autres, telle que les circonstances peuvent l'imposer et qui n'est pas la même pour les personnes qui ont passé cinquante ans, pour les enfants, pour les jeunes, et pour les groupes marginalisés. Le mot vient de l'italien *isola*, île, qui indique justement la coupure d'avec la terre ferme. Des événements surviennent dans le temps qui semblent rompre les amarres des gens et les transformer en îlots. Seuls.

Mais le mot être seul ne signifie pas uniquement être séparé des autres, il indique aussi l'état d'un être complet, un et simple: l'autosuffisance et l'autonomie de l'individu. C'est dans ce sens positif que je propose d'employer le mot solitude. Il arrive que l'individu cherche l'isolement pour préserver et enrichir sa solitude, mais c'est encore à la solitude qu'il faudrait alors référer, et je ne parlerai d'isolement que lorsqu'il est *imposé* par la vie et les conditions sociales. À chacun de s'aménager une solitude de plus en plus riche à travers les affres des pertes, des absences et des renoncements.

Valéry dit quelque part qu'on naît plusieurs et qu'on meurt seul. Il veut parler alors de tous les êtres possibles qui germent en chacun au moment de la naissance et qui disparaissent peu à peu de par l'éducation et les choix de vie. La personnalité ne se construit qu'au prix de ces pertes. Or, vers la soixantaine, parfois avant, parfois après, on ressent une usure du corps qui semble retentir dans tout l'être et mettre en cause son intégralité. Risque de retourner à un multiple émietté. C'est de l'intérieur qu'on est menacé. On dirait que des parties du corps échappent à l'attention, que la mémoire n'embrasse plus la totalité du vécu, que des pans de vie tombent dans l'oubli. La tentation est grande de se laisser aller au parcellaire, d'être la proie de l'immédiat, dans le soin à donner aux multiples exigences du corps, de ne plus alors travailler à se construire. Et pourtant, il faut recourir aux forces unificatrices du dynamisme pour maintenir ferme l'attention à soi, rester fidèle au projet inscrit dans la personnalité, survivre dans l'unité de l'être. Une solitude positive doit venir à bout de ses démons intérieurs en même temps qu'elle résiste aux multiples formes d'isolement qui surviennent en vieillissant.

L'une des premières causes d'isolement est sans doute, pour les couples, le départ des enfants de la maison. Même si les adolescents ont habitué leurs parents à cet événement par des éloignements temporaires, il est difficile d'accepter leur départ définitif, surtout celui du plus jeune. Peut-on aller jusqu'à évoquer un *syndrome du nid vide* pour désigner le sentiment de malaise qu'éprouve la mère lorsqu'elle n'a plus de rôle à jouer à la maison, surtout lorsqu'elle ne travaille pas à l'extérieur? Sans doute pas aujourd'hui. D'après le *Consumer's Report*, il semblerait qu'il y ait plus de nids vides heureux que de malheureux! D'autant que les jeunes, souvent au chômage, ont plutôt tendance à s'attarder au foyer ou à y revenir. Et il arrive alors que les parents souhaitent plutôt leur départ! Mais peut-être ce départ est-il encore pénible quand la femme subit en même temps un divorce qu'elle n'a pas souhaité.

C'est d'ailleurs une autre cause d'isolement que la séparation d'un couple, surtout dans la cinquantaine. Pourquoi à cet âge? Parce que l'homme et la femme doutent davantage de leurs capacités sexuelles et de leur pouvoir de séduction. En pareil cas, la menace d'isolement dans la vie sociale est plus grande pour la femme parce qu'il lui arrive souvent d'être abandonnée par les autres couples amis du fait qu'elle incarne alors l'image dangereuse de la célibataire toujours susceptible de détruire l'harmonie des autres ménages. L'homme, lui, se sent plus démuni à l'intérieur d'un appartement où il se débrouille ordinairement moins bien. D'après les statistiques, il n'y reste pas longtemps seul!

Une autre cause d'isolement est la retraite. La retraite isole radicalement du monde du travail. Le retraité n'appartient plus au lieu où il se passe quelque chose. Il est rejeté hors circuit: il perd même son statut social. Dans ce cas, il semble que l'homme soit plus touché: il a concentré davantage ses intérêts sur la vie professionnelle et sur la carrière et il manque souvent d'intérêt pour d'autres lieux d'investissement de son désir.

Au fur et à mesure qu'on vieillit, l'entourage devient plus clairsemé. La mort du partenaire amoureux creuse un vide long à combler. Période de deuil qui souvent n'en finit plus et que peut prolonger encore la mort d'autres proches. Rien de plus dramatique alors que la perte d'un enfant! Les amis, eux aussi, s'envolent: éloignement dans d'autres villes, abandon, rupture. Le système de relations se disloque et engendre un sentiment d'isolement affectif difficile à supporter, surtout pour les personnes peu enclines à créer de nouveaux liens.

L'usure et les infirmités, comme la diminution graduelle de la vision et de l'audition, et les maux de jambe, isolent également. L'espace se rétrécit, les déplacements se font de plus en plus courts et de plus en plus rapides, les promenades s'abrègent, les courses se réduisent au strict minimum jusqu'à ce que, finalement, l'appartement, la chambre soit le seul espace occupé, comme le chante Brel. Avec qui communiquer alors? Si l'on prend comme critères d'isolement, comme le font la démographe Thérèse Lacoh et la sociologue Anne-Marie Guillemard, l'absence ou la précarité des contacts avec les autres, les aînés sont parfois très isolés, reclus dans leur appartement. D'abri et de point de repère, leur logement devient un repaire et une coquille[43]. Est-ce que cet isolement extrême ne risque pas de faire obstacle à une solitude riche, marque du dynamisme de l'individu?

Comment réagissent les personnes vieillissantes à mesure que leur isolement s'accroît? J'esquisserai un tableau de ces réactions en mettant en relief les possibilités de se créer une solitude pleine au sein de situations d'isolement. Les plus âgées d'entre ces personnes, nées avec le siècle, ont encore été élevées dans un milieu traditionnel qui donne modèles, identification, sécurité. Elles se sont adaptées vaille que vaille à une société si différente de celle de leur enfance. Mais, ordinairement, elles n'ont pas eu à vivre de divorce ni de départs trop brusques des enfants qui, élevés dans les mêmes idées qu'elles, ont continué de fréquenter la maison familiale et de leur confier leurs propres rejetons. La mise à la retraite fut sans doute pénible, mais atténuée par l'idée qu'elle fait partie de l'ordre des choses. La dernière étape de leur vie les soumet à rude épreuve. Elles ont connu, elles, les grands-parents qu'on garde à la maison jusqu'à leur mort. Elles seraient en droit d'espérer le même sort, mais elles en sont ordinairement privées. Et cette situation leur semble injuste; elles s'en plaignent, surtout après la mort du conjoint : «On m'abandonne!» Si elles n'ont pas fait le deuil de la famille élargie, elle se sentiront toujours seules, laissées pour compte par leurs enfants et petits-enfants. Pourtant, il arrive que ceux-ci leur rendent visite, même parfois régulièrement. Mais, pour elles, ces visites ne sont jamais assez fréquentes, ni assez longues. En fait, ce qu'elles désirent, c'est, comme autrefois, la permanence de la présence, le «vivre avec».

Mais il leur faut vivre seules. Souvent ces personnes se réfugient dans un isolement superbe, refusant toute aide qui ne soit pas familiale. Par ailleurs, elles ne veulent pas quitter leur appartement. Au contraire, elles reportent souvent sur leurs biens — maison, meubles, pécule — l'attachement dont les leurs ne leur semblent pas dignes. Colère? Vengeance? Avarice? Surtout besoin impérieux de conserver fermes quelques points de repère de leur identité que notre société ne peut plus leur fournir. Elles ne sont pas heureuses. Le pire, c'est que leurs proches n'y peuvent pas grand-chose. Ce dont ils souffrent eux aussi. Qu'ils continuent cependant à les fréquenter avec patience et tendresse; leurs gestes affectueux réchauffent quand même ces vieux si déçus à la fin de leur vie. Mais je ne pense pas qu'on puisse s'inspirer de leur cas pour élaborer une politique du vieillissement; ils sont les derniers héritiers d'un monde disparu.

Les personnes vieillissantes qui viennent de prendre leur retraite ou qui la prendront bientôt, et qui sont nées aux environs du krach boursier de 1929, sont très différentes de celles que nous venons d'évoquer. Elles ont connu la crise, la guerre, mais aussi les relances et même la prospérité des Trente Glorieuses[44]; elles ont pu déjà apprivoiser la technologie avancée et les valeurs qu'elle véhicule. Elles se situent entre *jeunesse* (où on essaie de se maintenir jusqu'à la cinquantaine) et *vieillesse* (âge où l'on est en perte sérieuse d'autonomie). Elles savent inéluctable un certain isolement de la vieillesse qu'elles souhaitent reporter au plus tard possible. Pour le moment, la coupure qu'elles redoutent ou qu'elles vivent, c'est celle de la retraite et de la distanciation d'avec les enfants.

La retraite, nous l'avons vu, prive d'un milieu de vie. Cette situation est pénible à supporter, même lorsqu'on aspire au repos et aux loisirs, particulièrement pour cette génération qui, au dire de Xavier Gaullier, serait capable d'entreprendre une seconde carrière. Génération qui s'est en effet définie plus qu'une autre par la production dans un système de progrès auquel elle croyait, et qui n'a connu que sur le tard les longues heures de loisir qu'elle troquait souvent pour un second travail. Comment ne pas souhaiter pour elle — et pour ceux qui partageront ses goûts — que la retraite s'accomplisse par étapes, qu'il y ait la possibilité d'un travail à mi-temps dans la boîte où on a œuvré toute une vie, ou, si ce n'est pas possible, dans une autre? Qu'il y ait place aussi pour l'aménagement d'une entreprise même lucrative, comme certains mineurs en ont donné l'exemple: ils ont retrouvé les terres familiales qu'ils louaient et les ont transformées en potagers pour le profit de leurs enfants, de leurs amis et le leur propre[45].

Certes, il ne s'agit pas, pour les retraités, de demeurer ou de devenir des bourreaux de travail. Mais il faut souhaiter que les structures de la production et des services soient plus souples: qu'elles intègrent le temps partiel dans un horaire mobile pour les groupes sociaux qui le sollicitent: non seulement les personnes âgées, mais les handicapés, les femmes à certaines périodes de leur vie, les étudiants. Les pays scandinaves n'ont-ils pas réussi cette opération? Mais si ces structures doivent exister, il ne faudrait pas qu'elles soient un passage obligatoire avant d'accéder à la retraite. Le travailleur a droit à la liberté que lui confère la fin de sa carrière. Il lui faut aussi du temps pour s'initier à une vie nouvelle qui corresponde plus à ses forces et à ses aspirations. Rien n'empêche qu'il garde contact avec ses anciens camarades de travail dans des associations que tous, patrons et employés, ont intérêt à promouvoir car la durée d'une entreprise ou d'une institution est réconfortante à une époque de mobilité extrême. Et qu'il s'initie à des activités de loisir et à des responsabilités dans le bénévolat, selon ses goûts et ses possibilités. En somme, qu'il y ait apprivoisement d'une solitude nouvelle à travers une insertion sociale moins intense.

Les grands enfants devenus adultes jouent souvent le rôle de médiateurs entre le monde du travail et celui de la retraite. Ils en parlent, ils demandent conseil, ils informent sur les nouvelles techniques... et parfois ils proposent un boulot temporaire. Les retraités ont le sentiment de se continuer en eux. Forme bienheureuse d'immortalité. Ce sentiment s'avive encore plus avec l'arrivée des petits-enfants que papis et mamies gâtent, amusent, gardent et comprennent parfois mieux que les parents. Ce contact avec le monde de l'enfance confère une nouvelle jeunesse aux retraités. Que penser de la garde des petits-enfants par les grands-parents? Si l'un et l'autre vivent ensemble en bonne harmonie, leur vie de couple doit être prioritaire et ils doivent décider à deux du temps à consacrer à leurs petits-enfants. Un grand-parent seul peut trouver plaisir à s'occuper de ses petits-enfants; il peut même ainsi aider ses enfants et avoir le sentiment d'être utile qui est si nécessaire à la vie solitaire. Cependant, chaque être humain est lui-même à part entière: en vieillissant, il garde son sexe, sa personnalité, ses rêves, son existence propre. Un lien privilégié avec les petits-enfants, si gratifiant soit-il, ne peut suffire à remplir une vie. Aussi, si l'on veut apprivoiser l'isolement inhérent au vieillissement, il ne faut pas se réfugier trop vite chez ses enfants sous prétexte de les seconder dans leur rôle de parents. Bien d'autres activités sollicitent les retraités et l'art d'être grand-parent se pratique en même temps que celui de cultiver son jardin et ses amitiés.

Que dire des réactions à l'isolement propres aux aînés qui se situent entre les deux premières catégories? Je ne crois pas qu'il faille les traiter à part. Ces personnes réagissent comme les plus âgées ou les plus jeunes selon leur appartenance à la société traditionnelle ou à la société technologique. Mais encore, ces catégories ne sont pas rigides. Il se peut que des centenaires et des nonagénaires — et j'en connais — ne soient pas prisonniers des valeurs d'autrefois, tandis que des sexagénaires ne jurent que par elles. Peut-être que l'état de célibataire spécifierait davantage l'accueil qu'on peut faire à la solitude en vieillissant. Je pense surtout aux célibataires par choix. Et aux femmes célibataires depuis toujours, ou qui le sont redevenues, beaucoup plus nombreuses que les hommes qui sont plus enclins à chercher une nouvelle cohabitation. Ces célibataires féminines ont ordinairement acquis une brochette d'amis et développé une panoplie d'activités qui leur permettent de n'être seules que lorsqu'elles le désirent. Elles résistent à l'isolement de la retraite; elles vont de l'avant, à l'affût de loisirs et de responsabilités qui les comblent. Mais elles doivent payer même matériellement le prix de leur choix. Tout leur coûte plus cher: logement, loisirs, voyages, même les aliments! Elles doivent aussi recourir à l'aide extérieure, et de plus en plus au fil de l'âge, pour venir à bout des tâches qu'on accomplit plus facilement à deux. Enfin, elles risquent aussi d'être plus isolées à la fin de leur vie, car ordinairement, elles n'ont pas d'enfant. Mais leur longue pratique de la solitude saura leur inspirer des voies d'investigation nouvelles à mesure qu'elles seront plus seules. Si elles ont fait de la solitude une tendre amie, celle-ci leur sera une douce habitude.

Le tempérament des gens influence aussi les réactions aux modes d'isolement. Certains prennent plaisir à être seuls, d'autres en souffrent: ils ont toujours ou souvent besoin de compagnie. Est-ce par le fait de ce narcissisme que j'évoquais au début de ce chapitre? Peut-être, et je crains que les plus jeunes n'en souffrent davantage dans quelques années, mais pas nécessairement. Aussi doivent-ils être astucieux pour trouver les moyens de communication appropriés, alors que s'accroît leur isolement. Peut-être seront-ils plus heureux, à la fin, dans une maison pour les retraités?

Il nous faut d'ailleurs évoquer ici les types d'habitation qui se présentent pour les personnes fragilisées par l'âge lorsque l'isolement expose à des dangers physiques et parfois psychiques. Cette question est presque taboue dans les milieux de la gérontologie, surtout en France, où le maintien à domicile est la pratique que l'on promeut le plus fortement. Non sans raison, d'ailleurs. On vieillit mieux dans le milieu social et l'environnement qui ont été les siens. Dans cet esprit, les gérontologues talonnent l'État pour qu'il offre les services nécessaires, car les structures d'aide sont alors indispensables. Leur pression est justifiée parce qu'il y a beaucoup de retard dans ce domaine, en France comme ailleurs. Mais il me semble qu'on doit considérer aussi d'autres solutions parce que les retraités les considèrent eux-mêmes et que c'est à eux que revient le dernier mot. Les nouveaux retraités sont déjà plus habitués à la mobilité que les anciens. Leur vie beaucoup plus active les a plongés dans la socialité. Ne préféreront-ils pas, au moment où ils deviendront sensibles à l'insécurité, habiter dans des maisons de retraite dans l'espoir d'y trouver un milieu qui leur apporte des services et une certaine convivialité et qui sollicite parfois leur avis pour son organisation? Aussi me semble-t-il important de réfléchir, en même temps que sur les possibilités du maintien à domicile, sur l'accessibilité à des maisons de retraite. Ordinairement, au Québec, deux types de logement se présentent dans un immeuble: d'abord l'appartement avec cuisine et un accès facile, selon les besoins, à la cafétéria, aux services de ménage, de santé et à certains loisirs. À la différence de la France, ces locations pour préretraités se font à des prix variés qui vont du HLM à la résidence luxueuse. En second lieu, l'institution où l'on a une chambre, parfois partagée, et tous les services nécessaires selon qu'on est dépendant ou non. Ces «centres d'accueil» sont très variés: pour des petits groupes ou des plus grands, pour personnes autonomes et celles qui ne le sont plus, ou les deux, etc. Évidemment, les gens préfèrent le premier type de logement et ce n'est ordinairement que lorsqu'ils sont très dépendants qu'ils se résignent à l'institution. Certes, ces maisons n'ont rien de commun avec les hospices d'autrefois. Mais tout est loin d'y être parfait. Quelques jeunes retraités pensent à des projets de fondation et de réorganisation. Pourquoi pas? Qu'il y ait plus d'une alternative dans les types d'habitation à la fin de sa vie, et que les gens puissent choisir la forme et l'importance de l'isolement qui conviennent à leur épanouissement et à leur bien-être. Ainsi, seuls ou avec d'autres, ils vivront une solitude positive.

L'isolement est interprété très différemment par les individus qu'il touche. Entrent en jeu l'expérience qu'ils en font dans leur jeunesse et qui colore leurs perceptions actuelles, leur âge, mais aussi leur caractère singulier. J'ai parlé d'îles; mais la mer est autant ce qui joint que ce qui sépare. Certains individus se laissent aller à la dérive. D'autres sont assez forts pour muer leur isolement en solitude, et pour que cette solitude soit rayonnante; ceux-là gardent alors auprès des autres assez d'intérêt, voire de prestige, pour que leur isolement en soit diminué.

VII

ENTRE MÉMOIRE ET OUBLI

À mesure que le temps passe, nous avons l'impression que notre passé s'éloigne toujours plus loin de notre présent. Va-t-il sombrer dans l'oubli? La mémoire a-t-elle encore le pouvoir de le retenir?

De fait, l'individu vieillissant se plaint souvent des défaillances de sa mémoire. Il lui semble que ses mécanismes d'enregistrement se détériorent, que son passé proche se dérobe. Pourtant, des études actuelles tentent de réhabiliter les pouvoirs de la mémoire, même à un âge avancé; ce serait le manque d'attention, d'exercices et d'intérêt qui provoquerait des oublis ponctuels. En tout cas, l'usage pratique de la mémoire nécessaire à l'identification de soi n'est pas mis en cause, sauf dans des cas spécifiques de sénilité. Le passé lointain n'a pas non plus disparu, et il arrive que sa trace soit présente au présent de la conscience.

Cependant les défaillances de la mémoire ne sont pas uniquement des sonnettes d'alarme pour nous inscrire à un atelier de la mémoire ou pour rencontrer un psychologue. Elles nous invitent à concevoir une fonction de l'oubli dans le creux de la mémoire. En fait, l'oubli possède sa propre positivité, le «silence muet» du présent. Mais comme le dit Pierre Bertrand, il exige une nouvelle conception du désir: «La force de l'oubli est constitutive de la force du désir[46].» La pratique nostalgique dont je vais parler tente d'analyser une mémoire au service et de l'oubli et du désir.

La nostalgie

Petit Larousse et *Grand Robert* réfèrent la nostalgie à l'espace: on s'ennuie des bras de sa mère, du sol où s'ébrouait l'enfance, de l'herbe chaude des premières amours. Ah! revenir au pays natal! On y revient et on en revient.

Il suffit d'un détail du paysage: ce sapin, cette chute d'eau, une odeur, celle des pommiers en fleurs ou d'une chocolaterie, un bruit, celui des autos qui rembraient à l'arrêt du coin, et les souvenirs émergent à la surface, épaves d'un monde perdu. Peut-être revivra-t-il, ce monde, dans un ailleurs qui suscite sans cesse notre quête? C'est ainsi qu'Ulysse reprend la mer, court les océans, arpente la terre. L'ailleurs du paradis perdu est toujours plus loin.

Mais ce qui nourrit la nostalgie, plutôt que des lieux inaccessibles, ne serait-ce pas des moments irrémédiablement passés qu'on ne se console pas d'avoir perdus? Pour Jankélévitch, la nostalgie est une réaction à l'irréversibilité du temps[47]. Le temps coule et s'écoule, inexorablement, dans le sens du futur. Or, on ne peut retrouver les lieux et les choses que marqués par le passage du temps: c'est un Ulysse autre qui retrouve une autre Pénélope, et Ithaque aussi a changé[48]. Mais peu importe que ces aspirations au retour s'achèvent dans la déception, elles ont au moins conjuré pour un moment le sentiment que le temps passé ne revient plus.

Faut-il séparer aussi nettement l'espace du temps dans la nostalgie? Je ne le crois pas. Le nerf de la nostalgie est le désir qui cherche éperdument où s'investir quand un objet lui échappe. Or le sujet désirant, tout au deuil de la perte de l'objet, se refuse pour l'instant à de nouvelles incursions érotiques. Il a besoin de se réchauffer un peu... Une de ses démarches privilégiées, c'est de régresser vers le passé des étreintes heureuses. Ce rêveur suit donc le désir à la trace. Restons de son côté. S'il se souvient avec émotion du petit sentier près de l'école ou du snack-bar du coin, si ce dragueur du passé s'accroche à n'importe quel détail du paysage de son enfance, c'est que ces détails font partie d'un monde, le sien, imaginaire avant même d'être historique, et c'est là qu'il trouve sa pâture. Pourquoi donc rattacher ce monde à celui de l'enfance? Il est très difficile de démêler l'écheveau serré de l'historique et de l'imaginaire. Le fil directeur ici, je crois, est la mère comme origine de la vie et de la survie, dont l'image est encore plus fantasmatique que réelle. Cette Pénélope règne sur le monde de l'enfance dont elle tisse la toile sur laquelle ses rejetons brodent leur destin particulier et dont les fils tirés constituent le tableau labyrinthique où chacun se retrouve: système d'images emprunté à la vie familiale, certes, mais aussi à l'environnement social, et surtout marqué par des expériences singulières qui débordent largement la vie des premiers groupes d'appartenance et même le temps de l'enfance.

Ce qui est propre à ces expériences singulières, c'est leur caractère d'étrangeté par rapport au quotidien familier. Soudain, on échappe à la répétition et, tout en restant sur place, on est transporté dans un monde autre. Je pense ici au bouleversement de Julien Green, enfant, contemplant la nuit étoilée, ou au grand Meaulnes découvrant le château d'Yvonne de Gallet. Le sentiment d'intensité qu'on vit alors s'apparente à celui d'une nouvelle naissance; un être sourd de l'originaire, il renaît à même les choses et les gens qui, soudain, nous émeuvent par leur étrangeté. La vie, comme surgissement et métamorphose! Cette métanoïa peut s'accomplir sur le mode du bouleversement tel qu'Alberoni le décrit dans *Le choc amoureux*, ou en mineur dans l'émotion esthétique dont nous parle Mikel Dufrenne dans *La phénoménologie de l'expérience esthétique*. Celui qui la vit la raconte comme unique. Pourtant elle n'est pas totalement séparée de ses autres expériences, particulièrement celles de son enfance. C'est un tel vécu, ignorant de l'histoire, gonflé d'imaginaire qui affleure à la mémoire on ne sait trop comment ni pourquoi, et qui constitue l'objet de la nostalgie. Ainsi Gréta, dans *Gens de Dublin*[49], exprime à son mari le désir de faire retour à Galway, le lieu où elle passait ses vacances dans sa jeunesse. C'est là qu'un soir d'orage le jeune homme qui l'aimait passionnément et qui était malade a risqué sa vie pour la saluer avant son départ; et il en est mort. Gréta, épouse exemplaire d'un mari parfait, sent-elle le besoin, après une dizaine d'années de mariage, de se réchauffer à la flamme d'un grand amour? Ce qui autorise cette interprétation, c'est aussi le saisissement de Gréta quand, à la fin de la soirée chez les sœurs Morkan, M. D'Arcy chante cette vieille ballade «The Lass of Anghim» que chantait souvent son amoureux Michel Furey. Son mari l'observe, fasciné: «Il y avait de la grâce et du mystère dans son attitude comme si elle symbolisait quelque chose.» Il ne sait pas bien. Mais lui-même est touché et pénètre dans ce mystère: «Des moments de leur vie intime s'allumaient tout à coup comme des étoiles dans son souvenir...» Et il redevient tout brûlant d'amour pour elle.

On peut aussi se demander si l'expérience de la «première fois» ne participe pas à l'élaboration du monde si singulier que je viens d'évoquer. Les premières fois sont multiples dans l'enfance, puisqu'elles sont reliées aux différents apprentissages de la locomotion, de la parole, de l'écriture, de la pensée, des métiers et des spécialisations, de la vie sexuelle. On construit à partir d'elles un fantasme qui rejoint sans doute dans l'imaginaire de l'enfant, surtout au début de sa vie, le rôle privilégié de la mère comme origine absolue. Mais ce fantasme s'alourdit ensuite de traditions reliées à des mythes sociaux, comme les initiations aux professions et à la sexualité: la *nuit de noces* grève encore aujourd'hui la première rencontre sexuelle. S'il faut donc retenir l'expérience de la première fois comme constitutive d'un monde propre, ce n'est qu'en autant qu'elle rejoint cette expérience de renaissance décrite auparavant.

Mais revenons au sentiment de l'irréversibilité du temps. Peut-il aussi alimenter concrètement la nostalgie? Pour certains, oui. Encore ici, je pense à *Gens de Dublin*. De retour à l'hôtel, Gréta raconte à son mari, à travers ses larmes, la folie d'amour jusqu'à la mort qu'elle avait inspirée à Michel Furey. Gabriel doit s'arracher à ses propres sentiments pour la consoler. Il pense alors au temps qui passe, à l'évocation pendant cette fête de ceux qui ne sont plus là, à la mort qui attend leurs hôtes prochainement et tous et chacun à la fin de sa vie. Gabriel *ré-fléchit* la nostalgie de Gréta: il la pratique sur le mode d'une rêverie philosophique ayant pour objet la mort et la fugacité du temps. Et cette rêverie est efficace pour lui: elle l'enveloppe de sérénité et provoque une nouvelle vision de sa femme qu'il accepte peu à peu: il la comprend dans cette crise nostalgique qu'elle vient de vivre; on pressent qu'il l'aidera à en intégrer les effets dans leur vie, non pas sur le mode exaltant d'abord espéré au moment où il l'avait vue transfigurée sans en connaître la cause, mais sous la forme d'une tendre complicité où chacun des deux doit faire le deuil de certaines formes absolues de l'amour.

Le plus souvent, c'est un désir moins réfléchi et plus secret dans ses procédés qui suscite la pratique nostalgique, qu'il s'agisse de l'Éros de Platon ou du désir selon Freud. Le personnage de Gréta en illustre bien la manière. Éros furète ici et là, toujours en quête d'objets où s'investir. L'une de ses stratégies est justement de nous entraîner dans le labyrinthe du temps et d'y faire briller des images idéales que nous n'évoquions plus. Certes leur fascination peut nous enclore dans le passé et nous perdre, et ce risque, on le voit bien, existe pour Gréta: Thanatos est là, tapi dans l'ombre, qui guette. Mais Éros nous presse de suivre ses impulsions; alors des allées et venues, des voyages, des errances s'instaurent entre les images séduisantes du passé et celles plus ternes d'un présent apparemment vide. Et qui sait, la grisaille quotidienne s'illuminera peut-être? Des camaïeux de gris apparaîtront où Éros s'accrochera et s'enflammera à nouveau. Feux bien pâles par rapport aux amours enfantines? Mais l'imaginaire n'a pas d'âge et il peut, à partir de souvenirs anciens, faire émerger des formes originales. Surtout ne pas s'agripper aux images du passé, mais se réchauffer à la flamme qu'elles dégagent pour vivre intensément d'autres expériences.

La nostalgie accompagne les personnes vieillissantes comme une tendre amie, elle confère au temps vécu sa densité. Résulte-t-elle, comme le suggèrent certains psychanalystes, du fait que certains deuils n'ont pas été accomplis? Mais qui peut se vanter de venir à bout de tous ses deuils, surtout quand avec l'âge ils se multiplient? Si la nostalgie se présente alors pour distraire du présent un cœur malheureux et le réchauffer aux braises attiédies du passé, pourquoi ne pas l'accueillir? D'autant qu'elle n'occulte pas l'objet du deuil pour le refouler, elle l'évoque plutôt dans la gloire d'un vécu heureux, trop beau pour être éternel. À la fin, peut-être, l'objet perdu sera-t-il sublimé dans le monde fantasmatique qui gravite autour de la mère. Certes, le présent vécu dans le climat nostalgique n'est pas des plus dynamiques, mais il se maintient en contact avec le réel; il permet aussi à l'âme en peine de tenir le coup jusqu'à de nouveaux investissements. D'ailleurs, pour s'accomplir, la nostalgie s'accroche à mille et une choses — des broutilles, une photo jaunie, une vieille chanson, une fleur séchée — qui animent le désir vacillant dans le présent en le reliant au rêve du passé: elle lui prépare un avenir.

Le sentiment d'usure que provoque à la longue le temps invite aussi à la nostalgie. Usure du corps, des perceptions, des choses. Des croyances et des idéaux également. Un profond écart se creuse entre l'autrefois et l'aujourd'hui qui ne joue pas en faveur du présent. Nous avons beau nous raisonner, la vie n'est pas un roman, nous ne pouvons pas être et avoir été, tout passe et nous ne nous baignons jamais deux fois dans la même eau du fleuve. Dans ce contexte, l'écoulement inexorable du temps semble jouer contre nous; nous ressentons un pincement au cœur, un sentiment de vide nous étreint: à quoi bon vivre! C'est dans cet état de désenchantement que la nostalgie nous envahit et nous sauve: elle s'insurge contre l'usure en nous présentant des moments forts et bienheureux de notre passé, ces paradis inaltérables. Processus heureux, même s'il ne débouche pas toujours sur le présent; il nous garde dans l'atmosphère douillette des beaux souvenirs. Aux amis qui nous sollicitent, nous répondons: «Ah! je suis trop vieux pour entreprendre telle action, commencer une nouvelle relation... À quoi bon! je ne suis pas malheureux avec mon monde intérieur.» C'est vrai, mais surtout nous avons peur que l'aventure qui se présente, en nous sortant de notre serre chaude, nous blesse à nouveau. Nous redoutons les fatigues et les meurtrissures. Nous n'avons pas tout à fait tort. Chacun de nous est le maître de sa pratique nostalgique; chacun sait le temps qu'il faut pour cautériser, au soleil obscur du passé, les blessures du temps. Bientôt... plus tard, il pourra entreprendre, à son rythme, de nouvelles errances.

La nostalgie, tout comme le vieillissement, est toujours reliée à la vie. Elle est peut-être ce qui mime le mieux dans le psychisme le travail souterrain de l'organisme dans sa lutte pour survivre. L'individu triomphe dans l'adaptation, et le sujet dans la continuité avec un certain passé, même fantasmé. L'une et l'autre opération relèvent de la volonté de vivre. Ce lien avec la vie distingue essentiellement la nostalgie de la mélancolie avec laquelle bien des gens la confondent. Même des dictionnaires donnent l'une et l'autre comme synonymes. Parfois aussi on a tendance à appeler mélancolie une nostalgie qui semble excessive. Après les analyses freudiennes, on ne peut plus tolérer cette erreur qui prive la nostalgie de son dynamisme propre. Car la nostalgie n'est jamais excessive; elle est ce qu'elle est: un avatar du désir qu'on pratique pour son équilibre personnel. La mélancolie, par contre, est toujours une maladie de l'individu: «Un soleil noir», une existence dévitalisée prête à basculer à chaque instant dans la mort[50]. Et c'est à l'effigie de la mort que le mélancolique se décrit lui-même: «Je vis une mort vivante, chair coupée, saignante, cadavérisée...[51]». Kristeva précise, en citant Freud : son surmoi, c'est la «culture de la pulsion de mort[52]». Certes, dit celui-ci dans son essai *Deuil et mélancolie*, la pathologie du mélancolique ressemble aux caractéristiques du deuil qu'on trouve habituellement normales: «Une dépression profondément douloureuse, une suspension de l'intérêt pour le monde extérieur, la perte de la capacité d'aimer, l'inhibition de toute activité», mais il faut à ces traits ajouter «la diminution du sentiment d'estime de soi qui se manifeste par des auto-reproches et des auto-injures et va jusqu'à l'attente délirante du châtiment[53]», et surtout l'impossibilité de faire le deuil. Ce sont là des différences radicales. Le mélancolique ne peut tolérer la perte de l'objet: il l'intériorise dans son inconscient comme une partie de son moi dont il se sent coupable, et il en rend aussi le deuil impossible. Ce dernier aspect met justement en évidence une des fonctions de la nostalgie dans le deuil: elle circonscrit l'objet de la perte et l'évoque à loisir jusqu'à ce qu'il rejoigne l'ensemble des souvenirs fantasmatiques. Elle adapte le travail du deuil au rythme des possibles singuliers.

Vieillir, il est vrai, c'est réaliser qu'il y a derrière soi un passé d'expériences plus ou moins riches dont le poids entraîne, comme malgré soi, à la répétition du vécu antérieur. S'entremêlent dans les souvenirs des images singulières avec des faits de société; en souhaitant la chaleur des premières, peut-on en arriver à arrêter le cours de l'histoire et à faire du passé un maître exclusif? Y a-t-il risque de confondre la nostalgie avec le passéisme? Pour ma part, je distingue carrément l'une de l'autre. J'appellerais passéisme un regret généralisé des époques antérieures, qui s'accompagne d'un attachement indéfectible au passé qu'on veut reproduire indéfiniment, quoi qu'il arrive. La nostalgie est à la fois plus précise et plus souple: on a la nostalgie de telle ou telle chose. Ce n'est qu'improprement qu'on se dit nostalgique. La nostalgie ne qualifie pas l'être d'une façon absolue, elle en exprime le désir sur le mode du regret. Et le désir est toujours désir de quelque chose. Il est éminemment singulier, il ressort de la vie intime et appartient au domaine du privé. Même si le passéisme peut être lié à un tempérament individuel, il désigne l'adhésion à une idéologie qui situe socialement ceux qui l'adoptent. Ainsi on peut parler des traditionalistes de tout genre à travers l'histoire, en religion, en philosophie, en politique. Il n'y a donc pas de rapport de nécessité entre nostalgie et passéisme.

Ulysse parcourt les mers sans cesse en quête d'un ailleurs. Il projette dans un espace autre et lointain le regret de l'enfance. S'il rentre chez lui, las de l'étranger, il n'y retrouve plus ce qu'il est venu chercher: les lieux, les objets, les personnes, tous ont vieilli comme lui, ils sont des marques du passé en train de s'estomper. De le constater peut d'ailleurs redoubler la nostalgie plutôt que de la satisfaire. L'autrefois vers lequel soupire le cœur en peine ne peut être le passé comme tel, codifié dans la tradition et l'histoire, mais l'univers d'un rêve auquel il a donné naissance et qu'il a entretenu. Ce que découvrent Ulysse et les amants de la pratique nostalgique après de nombreux aller-retour, c'est que le temps passé est toujours présent dans l'instant, tout comme le futur qui en est l'ouverture. Nous retrouvons le langage de Pierre Bertrand que j'ai déjà évoqué et que je reprends ici pour préciser le rapport de la nostalgie à la mémoire.

Certes, la pratique nostalgique fait appel à la mémoire, mais à une mémoire privilégiée qui ne suit pas le cours des événements ni les faits biographiques selon un ordre chronologique: elle en oublie plusieurs et change parfois l'ordre de ceux dont elle se souvient. Seuls le point de départ: la naissance — et pourquoi pas la conception? — et la première intimité avec la mère appartiennent à la fois à l'histoire comme événement daté et à la vie fantasmatique de l'individu, c'est bien là l'objet originel de la nostalgie, ainsi que nous l'avons vu. Cet objet s'épaissira des expériences singulières et des premières fois souvent oubliées par la mémoire consciente, mais toujours prêtes à ressurgir selon leur lien avec l'univers de la mère. Or, c'est cette relation initiale à la mère qui donne naissance à la fois à la mémoire et à l'oubli. Mémoire, souvenir persistant de l'image première qui attirera dans son aura tout ce qui marque une voie. Oubli, longue rupture du cordon ombilical qui engendre des renaissances. Ainsi lorsque le cœur nostalgique souffre de la perte d'un être cher, ou de l'usure de ses idéaux, ou de l'irréversibilité du temps, se réfugie-t-il alors dans le jardin inaltérable de l'enfance: il se souvient. Il se réchauffe dans ce lieu maternel, son monde secret... jusqu'à ce que puisse s'accomplir la liaison entre l'objet perdu autrefois, et qui demeure pourtant une force vive en lui, et celui qu'il vient de perdre. Temps d'incubation et de naissance. Lorsqu'il peut assumer la perte dans l'oubli, c'est le signe qu'il est rené. Le voici donc à nouveau disponible pour l'instant du désir et des chaudes étreintes.

VIII

ENTRE SAGESSE ET FOLIE

On n'est pas vieux tant que l'on cherche.

Jean Rostand

Rien n'est plus sacré que l'intégrité de votre esprit.

Emerson

Aun oprendo, «j'apprends encore», est le titre d'une des dernières eaux-fortes de Goya. Elle représente un vieillard voûté, décrépit, qui s'avance péniblement en s'appuyant sur deux bâtons. Que veut dire le peintre? Que jusqu'à la fin, le monde est là qui sollicite l'attention et stimule la marche. Goya lui-même a donné l'exemple de cette quête. Malgré les malheurs de la guerre qu'il a vécus, les crises de désespoir suscitées par une trop grande lucidité qui l'ont conduit au bord de la folie, malgré les infirmités de toutes sortes, il reste debout, à l'œuvre, dans l'attente de jours meilleurs. L'objet de sa recherche? Les gens de son époque, leur vie et leur histoire dans ce qu'elle comporte de tragique. Goya, «visionnaire du réel», selon l'expression d'Élie Faure... Animé par la pratique toujours plus exigeante de son métier, il renonce à sa position de peintre à la cour pour devenir l'artiste courageux qui approfondit sa technique, dénonce les abus du pouvoir et ceux du conquérant, arrive à bout des monstres qui hantent son imaginaire en les fixant en des œuvres qu'il étale sur les murs de sa salle à manger. À la fin de sa vie — il meurt à 82 ans —, Goya ose s'identifier à ce vieillard, alors qu'il avait toujours un peu triché sur son âge dans ses autoportraits de la soixantaine. Il ne craint plus l'œil du public, lui qui, après bien des affres, peut affirmer: «J'apprends encore». Il témoigne d'une victoire sur le chaos, l'incohérence, la dérive de l'être réduit à ses limites extrêmes.

Perdre la tête, n'est-ce pas là une des craintes les plus angoissantes qui, à un moment ou un autre, émergent à la conscience des personnes vieillissantes? Il suffit parfois d'oublis successifs, du sentiment de tourner en rond dans un espace clos ou de se sentir abandonné, sans possibilité de rencontrer le regard de l'autre, pour que remontent alors à la surface des images venues du fond des siècles de sorcières grimaçantes, de vieillards sales, dépenaillés, radoteurs ou hébétés, contre lesquelles les nobles têtes blanches de Greuze et de Hugo sont bien impuissantes à nous rassurer. Surtout si dans le même temps nous visitons quelques malades chroniques âgés dans des centres d'accueil. Réalité redoutable que celle de la démence sénile.

L'appréhension de la maladie mentale est telle chez certains qu'elle demeure tapie au fond de l'inconscient, se masquant derrière des assertions globales: «Ce que je redoute le plus, c'est la perte d'autonomie», ou des allusions ironiques: «Ah! ces mots qui m'échappent, l'Alzheimer me guette», ou des souhaits performatifs lors de la rencontre de personnes séniles: «Plutôt mourir que de devenir un légume!» Formules creuses dont la fonction est surtout de conjurer la folie ou simplement le ramollissement cérébral que l'on n'ose regarder en face. Mon propos dans cet essai est d'inviter à prendre conscience des différentes formes de son vieillissement afin de composer avec elles. Or, la démence n'accompagne pas nécessairement le travail des années et elle se retrouve chez des jeunes. Elle ne concerne donc pas directement le sujet de cet ouvrage. Tout comme la maladie qui est un avatar de la vie. Mais je ne peux être indifférente aux craintes que l'une et l'autre suscitent, car elles peuvent bloquer le dynamisme du vieillissement. Cependant, alors qu'une visite médicale peut apaiser la peur d'un mal physique, elle n'est pas toujours efficace pour se débarrasser de l'appréhension d'une maladie mentale d'ailleurs souvent sans fondement et qui ne s'exprime ordinairement que par des voies détournées; non, je ne pense pas qu'on puisse aider quelqu'un directement à vaincre la peur de la folie. La meilleure façon de parer à ce type d'anxiété, c'est la foi dans l'intelligence, à quelque âge qu'on soit. Non pas la foi du charbonnier, mais celle qui se fonde sur de multiples exemples de gens illustres ou de personnes de son entourage qui ont gardé jusqu'à la fin l'exercice de leurs facultés. Foi active qui s'accompagne aussi de pratiques intellectuelles. Je ne pense pas d'abord à des pratiques spécifiques, mais à celles qu'exige le réseau d'échanges de la vie quotidienne. Il importe, en vieillissant, de maintenir coûte que coûte ce réseau et de résister à la tentation de se replier sur soi. C'est avant tout dans la parole — l'échange de mots, d'idées, de sentiments — qu'on exerce ses facultés intellectuelles et qu'on maintient son identité propre. D'autres pratiques reliées à des apprentissages particuliers pourront s'ajouter, j'en parlerai plus loin.

Cette foi dans l'intelligence peut aussi se nourrir du discours récent de la gérontologie actuelle, qu'il soit médical ou psychologique, sur l'avenir de nos facultés mentales. Que dit la science de notre cerveau? En vieillissant, il perd du poids, mais sans souffrir pour autant de détriment. Ses cellules ne se renouvellent plus et il en meurt cent mille par jour. Mais, sur un capital individuel de quatorze milliards, il en reste plus de quatre milliards au bout de cent ans! Suffisamment pour penser, même si certaines lésions peuvent l'atteindre. Le professeur Charles Duyckaerts, neurologue à l'hôpital de la Salpêtrière, a constaté que les personnes atteintes de sénilité souffraient d'un plus grand nombre de lésions que les personnes qui vieillissaient normalement, et que ces lésions se trouvaient en des endroits différents du cerveau. Ces observations, ainsi que d'autres, suscitent des recherches précises; on espère arriver à prévenir certaines maladies mentales liées au vieillissement.

Le dynamisme de l'intelligence jusqu'à la fin de la vie ressort clairement de multiples études. Peut-être serait-il réconfortant pour l'esprit d'en évoquer quelques-unes de plus près. Les premiers tests auxquels on a soumis les personnes âgées semblaient leur être défavorables, comme l'échelle de Weiss pour qui l'intelligence diminuerait avec l'âge. Mais plusieurs travaux ont rapidement infirmé ces conclusions hâtives. Ceux de Sehaie sont particulièrement intéressants, car ils prennent comme objet plus d'une fonction de l'intelligence: le raisonnement verbal, la rapidité

130

de la réponse et les aptitudes à apprendre. Ils prouvent que la capacité verbale continue à se développer jusque vers les toutes dernières années de la vie. Or, cette capacité verbale compense la baisse de vitesse déjà constatée lors des tests d'intelligence. Elle contribue aussi aux succès des personnes âgées dans l'apprentissage des connaissances, succès étonnants constatés par les professeurs de l'éducation aux adultes et expliqués par la réussite au test de Thurstone, *Educational Aptitude*, qui se calcule en additionnant la cote du raisonnement à la cote verbale, multipliée par deux[54].

D'après les travaux de Horn, il y aurait deux formes d'intelligence, l'une fluide, capable de résoudre des problèmes nouveaux, et l'autre cristalline, qui fait appel à l'accumulation des expériences antérieures pour s'adapter au présent. Les tests révéleraient qu'en vieillissant, les personnes seraient moins aptes à utiliser l'intelligence fluide. Encore là, des études plus poussées de Rabbitt (1977) et d'Arenberg (1973) ont contesté cette hypothèse, prouvant que l'intelligence ne se cristallise pas nécessairement en vieillissant. Les résultats négatifs obtenus par les personnes âgées aux tests d'intelligence fluide venaient de difficultés à organiser et à intégrer l'information dans des domaines qui leur étaient tout à fait étrangers, et du manque d'intérêt pour des tâches futiles et artificielles[55]. Dans des situations qui leur sont plus familières, ces personnes font preuve de ce type d'intelligence.

Il semble que les études scientifiques parviennent difficilement à des résultats concluants dans l'observation et la mesure de l'intelligence des personnes âgées. Il y a toujours des données qui ont été négligées dans l'hypothèse de départ et qui infirment par la suite les résultats obtenus. Mais les gérontologues et les intervenants qui observent attentivement les personnes âgées attestent la permanence de l'intelligence chez celles qui ne sont pas atteintes de sénilité. Ils la remarquent à plusieurs signes. Le plus commun, comme l'a constaté Sehaie, c'est l'élocution verbale sensée qui témoigne d'une intégration sociale et d'une capacité de communiquer continues. Les autres apparaissent surtout dans les formes d'adaptation multiples des personnes âgées, observables dans les changements de milieu, de situations extérieures, face aux transformations du corps et de la psyché. Elles supposent la saisie d'éléments nouveaux, la capacité de les analyser et de les comprendre globalement. C'est reconnaître à l'intelligence des aînés une capacité d'apprendre continue qui est encore à l'œuvre lors d'apprentissages plus abstraits reliés à des savoirs de la culture seconde que l'on transmet dans les écoles et les universités. On peut donc apprendre à tout âge, mais plus lentement d'abord si l'on n'a pas pratiqué tel et tel apprentissage dans sa jeunesse. Quant à ceux qui ont acquis des habitus intellectuels, ils les conservent toute leur vie. S'ils deviennent plus lents à cause de leur fatigabilité, le métier compense leur perte de vitesse. En réalité, comme le constatent des pionniers de la gérontologie, tels que J. Birren, B. Neugarten et bien d'autres: «Il y a peu de changements importants au niveau de la fonction mentale tout au long du processus normal du vieillissement.»

La plupart des gens sont d'ailleurs convaincus de la persistance de leur intelligence jusqu'à un âge avancé. Ce n'est qu'aux heures sombres de la dépression, quand ils se sentent trop seuls ou qu'ils ont été en contact avec une personne sénile, qu'ils se mettent à en douter. Qu'ils pensent alors à toutes les personnes âgées qui pourraient leur être des exemples stimulants de l'activité de l'intelligence jusqu'à l'âge le plus avancé.

Ainsi ces bénévoles qui donnent de leur temps pour lutter contre l'analphabétisme, pour maintenir aussi à flot des étudiants qui achoppent dans une discipline, ou pour favoriser par des cours de rattrapage le retour de jeunes adultes à l'université.

Ainsi ces citoyens anonymes qui se regroupent pour défendre leurs droits ou pour réclamer de saines conditions de vie qui les maintiennent intégrés à la société. Ils font la preuve, dans l'action, de la vivacité de leur esprit.

Ainsi ces défenseurs du patrimoine qui se regroupent pour étudier l'histoire de leur région, restaurer une vieille maison, un moulin abandonné, ou qui font campagne pour la préservation d'un quartier.

Ainsi ces mordus de lecture plus très jeunes que l'on voit régulièrement dans les bibliothèques de quartier en train de parcourir journaux et revues et qui repartent avec quelques bouquins sous le bras.

Ainsi ces nombreux retraités qui s'adonnent avec mesure à des activités sociales, sportives ou de voyage, conjuguant harmonieusement forces et désir. Julian Carletti, marathonien vedette de soixante-cinq ans, ne dit-il pas: «On court avec sa tête»?

Ainsi ces joueurs invétérés de bridge, à l'œil vif et à l'esprit lucide, dont l'âge s'échelonne entre cinquante et quatre-vingt-quinze ans, que l'on rencontre chaque semaine dans les tournois où ils font encore leurs preuves.

Ainsi ces merveilleux comédiens qui ne cessent de nous éblouir par leurs performances: ils manifestent encore dans leur jeu les forces de la mémoire et la capacité de vivre intensément des rôles: Rose Ouellette, Gratien Gélinas, Janine Sutto, Juliette Huot, Madeleine Renaud, Danielle Darrieux, Marcello Mastroianni, et j'en passe. À eux tous: «Bravo!»

L'étonnant succès des universités du Troisième Âge apporte un autre signe patent de confiance en l'intelligence. Partout en Occident, leur nombre et leur fréquentation s'accroît. On peut se demander ce qui attire autant de gens d'un âge certain à des études en bonne et due forme. Pour beaucoup, il s'agit de satisfaire enfin un besoin de connaître qui n'avait jamais pu être réalisé dans la jeunesse: un rattrapage intellectuel et social. Lorsqu'ils obtiennent un diplôme, ils évoquent souvent la fierté de leur famille: «Ah! si mon père, ma mère me voyaient...» Pour d'autres, c'est le désir d'aborder des domaines différents du savoir, plus en accord avec leurs goûts et leur personnalité que ne l'était leur carrière professionnelle. Pour les premiers, la matière importe peu au début, c'est d'avoir accès à l'université qui les comble. Quant aux seconds, ils examinent avec attention les prospectus; se dirigeront-ils vers les arts? vers la littérature? vers l'histoire? ou les sciences humaines? Ils font leur choix avec l'aide de conseillers pédagogiques qui les incitent à changer de discipline, s'il y a lieu. Les uns et les autres se montrent avides de savoir: «Les personnes âgées se comportent comme acteurs, mais avec l'ardeur consommatoire des grands affamés[56].» À la fin, les enquêtes révèlent que si le savoir semble l'intention première de ces nouveaux étudiants, la sagesse en est le désir profond. Non pas qu'ils abandonnent après coup cette intention de connaître qui les distingue nettement des membres de l'Âge d'Or axés à la fois sur les activités sociales, sportives et culturelles, mais ils choisissent des objets du savoir qui concernent plus directement leur rapport au monde. Dans la pédagogie, ils sont avides d'échanger avec les professeurs et les étudiants et désireux de trouver des instruments qui leur permettent de comprendre leur vie. Pour eux, il semblerait important de restaurer l'image d'un moi atteint par les pertes physiques de l'âge et la coupure sociale de la retraite. Comment assurer au sujet une continuité dans l'expérience entre le passé et le présent? Comment faire qu'ils s'aiment encore? Or, aux dires des psychologues, la connaissance joue un rôle spécifique dans le maintien de la personnalité à cette période de crise: elle est un lieu de sublimation du désir dans des objets idéaux auxquels le moi peut s'identifier et semblerait correspondre à une fonction d'intégration propre à la mémoire qui se développerait au cours du vieillissement. Pas étonnant que ces étudiants tâtonnent quelques fois dans le choix d'une discipline, celle-ci devient pour eux un miroir transformant, elle doit être en accord avec leur personnalité. Quant au style de vie auquel les études les obligent, comme de se rendre aux cours parfois tôt le matin, de courir les bibliothèques, de s'acquitter à temps de leurs travaux, il intègre fortement nos néophytes du savoir à la réalité sociale et les assimile à des travailleurs: comme ceux-ci, ils se rendent au boulot, celui qu'ils ont choisi. En outre, le monde des idées dans lequel ils baignent, l'acquisition de nouvelles connaissances, l'habitude des discussions en classe les portent à intervenir sur les sujets les plus actuels dans les conversations avec leurs enfants et petits-enfants et avec des amis: ils sont toujours dans le coup, en communication avec les autres de leur époque.

Parmi tous les étudiants nouvelle vague fiers de fréquenter l'université, alors qu'elle est aujourd'hui souvent contestée, un exemple éclatant, celui d'Annette Coderre. À l'âge de quatre-vingt-sept ans, cette Québécoise a soutenu, à l'Université de Sherbrooke, au Département d'études anglaises, une thèse de doctorat intitulée *Le nouveau visage de la femme dans le roman contemporain en littérature québécoise et canadienne-anglaise depuis 1970*. Cette célibataire convaincue avait obtenu son brevet d'études en 1914 et avait enseigné pendant quelques années dans des petites villes des Cantons de l'Est, au Québec, où elle était née. Des problèmes de maux de gorge l'incitent à changer d'orientation; elle sera secrétaire à Sherbrooke pendant quinze ans, puis dirigera le bureau régional du Service national de placement où elle prendra sa retraite en 1964. Annette Coderre est une étudiante permanente. Ainsi, elle obtient son baccalauréat ès arts en 1963, sa maîtrise en littérature comparée en 1969. Elle ne craint pas alors d'entreprendre sa thèse de doctorat qu'elle soutient en 1984. Cette étudiante exceptionnelle a bien du mérite, car elle a poursuivi ses études à l'université de tout le monde, au milieu des jeunes, les universités du Troisième Âge n'existant pas à cette époque. Elle est convaincue des bienfaits de l'apprentissage intellectuel en vieillissant. Voici ce qu'elle confie à Huguette O'Neil de la revue *Châtelaine*: «Étudier est un excellent moyen pour ne pas radoter. La mémoire, c'est comme un muscle: il faut l'exercer, la cultiver, la renforcer quotidiennement pour lui conserver toute sa souplesse[57].» Mais, chez elle, le savoir n'est pas seulement intellectuel, il s'accompagne d'une vie active et engagée. Active, car Annette pratique le sport depuis toujours, et d'une façon émérite: tennis, golf, équitation, natation, ski alpin. Pour le moment, à plus de quatre-vingt-huit ans, elle se contente du ski de randonnée et d'une heure de marche par jour, beau temps, mauvais temps. Engagée, elle l'a été en demeurant fidèle à la culture canadienne-française alors qu'elle était élevée dans un milieu anglophone; plus tard, elle a endossé la cause des femmes, comme l'indique le choix de sa thèse de doctorat. Et elle demeure ouverte sur le monde: au moment où elle accordait cette entrevue, elle espérait entreprendre avec son frère cadet un voyage en Chine!

L'intelligence garde sa puissance jusqu'à la fin de la vie si la maladie n'en ralentit pas le rythme et si on lui offre sa pâture quotidienne. Toutefois, d'après les enquêtes réalisées dans les universités du Troisième Âge, les retraités seraient plus soucieux d'élaborer une sagesse que d'accroître leur savoir. Parce qu'ils sont en retrait des réseaux professionnels qui valorisent avant tout l'esprit techno-scientifique. Mais aussi parce qu'en vieillissant, ils éprouvent le besoin de s'expliquer leur rapport au monde et à eux-mêmes.

Reste une question: que dire de la folie? Si je l'ai nommée dans le titre de ce chapitre, c'est que la sagesse peut avoir affaire à elle. Au moins tant qu'elle n'est encore qu'une menace. De qui a sombré dans le pathologique, — dans la sénilité, dans la démence — je ne peux rien dire; la parole est au psychiatre, au médecin. Je ne parlerai pas davantage de ce que la raison appelle déraison. Car il arrive que l'autorité de la raison puisse être contestée: elle est parfois revendiquée au bénéfice des idéologies régnantes. Quand elle dénonce comme déraisonnable ce qui s'oppose à ses critères et à ses règles, il n'y a pas toujours lieu de la suivre. Peut-être le projet d'un art de vieillir semblerait-il déraisonnable à la raison de notre temps si les personnes âgées n'apparaissaient assez nombreuses pour stimuler la production et accroître les profits!

Mais quelque crédit qu'on fasse à la raison, la folie demeure une menace. Pour deux causes qui se conjuguent souvent. L'une est extérieure à la personne: c'est le monde — son monde, celui auquel elle s'était accoutumée et qui lui était devenu familier — qui est bouleversé et devient bouleversant. Surgissement brusque de l'imprévisible, de l'incompréhensible, du tragique. Surgissement aussi de l'inéluctable, comme si faisait irruption un ange des ténèbres qui proclamerait: Tu vas mourir! (La prise de conscience du vieillissement pourrait prendre cet aspect effrayant si elle s'opérait brutalement et tardivement.)

Ce visage du destin n'est dramatique, et proprement affolant, que pour les âmes les plus sensibles. Mais la menace peut être tapie aussi à l'intérieur de l'individu. Qu'il y ait en chaque homme un grain de folie, Pascal le dit quelque part: «Les hommes sont si nécessairement fous que ce serait être fou par un autre tour de folie de n'être pas fou.» La folie prend alors sa source dans la passion lorsque celle-ci s'emporte jusqu'à refuser tout contrôle et annuler toute maîtrise de soi; excès, démesure, déchaînement de la bête.

Il se peut que l'âge émousse la sensibilité au tragique et apaise les passions. Mais il est bon de rester attentif aux désordres qui peuvent compromettre l'équilibre psychique. Rester lucide, et pour cela exercer toujours cette intelligence qui est le propre du vivant humain, n'est-ce pas la voie à suivre entre sagesse et folie?

En guise de conclusion

ENTRE DÉCLIN ET CROISSANCE

> *C'est pourquoi notre marche n'est*
> *pas un sûr progrès mais plutôt cette*
> *marche «titubante» dont parle*
> *Montaigne.*

Simone de Beauvoir

> *Vieillir, ce n'est pas du tout ce que*
> *l'on croit. Ce n'est pas du tout*
> *diminuer, mais grandir.*

Jean Paulhan

Faire face au vieillissement, s'appuyer sur le dynamisme de la vie, déployer celui-ci dans des activités à mesure que le temps se déroule et que les pertes s'accumulent, tel est bien le leitmotiv de ce livre. Il n'affirme pas pour autant que vieillir c'est croître. Vivre, c'est avant tout survivre dans un équilibre relatif auquel le vivant peut donner un sens. Et le vieillissement peut être considéré, d'après G. Abraham, comme une forme d'involution ou de développement régressif, mais il ne faut pas voir dans cette involution *le mal* s'opposer absolument à un *bien*. Elle est, au contraire, «une forme particulière de maturation et d'individualisation» qui permet le déroulement d'une histoire personnelle: «[...]

chacun de nous se reconnaît beaucoup mieux dans sa propre involution que dans son propre développement[1]».

Parler de croissance implique que les gens donnent un sens
précis à leur vie. Pour ma part, en m'attachant au concept de
dynamisme, j'ai choisi de mettre l'accent sur ce qui dans le vieillissement est vécu par tous et chacun, en dehors des croyances et
des options philosophiques. En dehors de toute culture? Certes
non. Car je dois m'adresser à mes contemporains, aux gens
d'une époque donnée, qui vivent en Occident, dans un monde de
consommation hypertechnologique; et je dois tenir compte des
idéologies que ce monde véhicule pour dénoncer celles qui
s'opposent au dynamisme de l'être et privilégier celles qui le
promeuvent. Et je dois aussi me référer à un autre niveau de la
connaissance scientifique et philosophique. J'ai tenté d'y avoir
recours pour étayer mes thèses, mais sans prétention, car plutôt
que savant, mon propos est avant tout existentiel: il est une
invitation à vivre heureusement son vieillissement.

C'est d'abord pour cette raison que je distingue soigneusement l'idée d'un dynamisme à l'œuvre chez les hommes et les
femmes et l'idée de croissance avec laquelle des gérontologues la
confondent souvent. Je pense que ce dynamisme est inhérent à
tous les humains. Si je propose que chacun en soit conscient dans
son action de réaménagement de ses forces à mesure que l'organisme décline, c'est pour en intensifier le processus et aussi pour
lui offrir un langage qui permet la communication d'expériences
souvent obscures, ténues, presque imperceptibles. Je souhaite
vivement que circulent dans la société des mots pour dire le
vieillissement et des œuvres pour témoigner à tout âge de la vitalité
des personnes vieillissantes! Mais il ne s'agit pas de porter à
l'expression une philosophie de la croissance axée sur l'idée d'un
progrès continu. La plupart des gens, d'ailleurs, n'ont pas de
philosophie bien précise: ils ont quelques valeurs qu'ils articulent
autour d'une idée du bonheur; et quand ils en ont une, ce n'est pas
nécessairement celle de l'évolution.

Ce sont seulement certains gérontologues qui appuient leurs
recherches sur une philosophie de la croissance. Ils ont le mérite
d'envisager les aspects positifs du vieillissement. Cessons de
n'énumérer que des pertes, des petites morts, un déclin généralisé;
voyons un peu ce que les ans nous apportent, semblent-ils
suggérer. «La gérontologie ne peut se réduire à une défectologie,
c'est-à-dire à la recherche, à l'observation, à la mesure et à
l'explication des déficits et des dysfonctions qui accompagnent

notre avance en âge. Elle a pour visée [...] de détecter pour les cultiver, pour les observer, les ressources d'adaptation et de compensation susceptibles de nous permettre jusqu'au faîte de l'âge de contenir, de retarder, de réduire ou de dépasser nos déficiences...[2]» Comment ne pas être d'accord avec ce but de la gérontologie exprimé clairement par Michel Philibert et qui ressort de la revue *Gérontologie* qu'il anime? L'attitude des gérontologues de la croissance implique de leur part (et on doit les en féliciter) une vision globale de la personne chez qui ils considèrent autant le corps que la psyché et l'insertion sociale. S'ils parlent de croissance, c'est donc bien en fonction de la totalité de l'être humain, cet animal raisonnable et politique qui peut agir sur son destin. Discours séduisant qui m'a attirée à la gérontologie. Mais quand j'y regarde de plus près, ce discours me laisse perplexe. Surtout quand il prétend à une rigueur pour laquelle il se donne un appareillage plus ou moins scientifique: échelle — phases — périodes — crises. Michel Philibert écrit : «J'appelle *échelle d'âges* (sans prétendre innover) toute périodisation, quel que soit le nombre des étapes successives d'une progression. Parler d'échelle, c'est considérer l'ordre donné et irréversible de leur succession comme équivalent à un ordre de valorisation croissante, ou du moins offrant à l'individu qui le parcourt l'occasion d'une constante amélioration de son être[3].» Il mentionne bien la possibilité de descendre sur l'échelle et même d'un va-et-vient entre le bas et le haut, mais il la refuse pour son compte: «Admettons par convention le sens irréversible du parcours de la naissance à la mort et la valorisation relative du haut par rapport au bas, de l'escalade par rapport à la dégringolade, je réserve et limite l'appellation d'échelle d'âges aux périodisations qui présentent la vie comme imposant ou proposant au vivant humain une ascension sans retour[4].» Le thème de l'échelle des âges appartient à la philosophie la plus ancienne, mais il trouve une justification aujourd'hui dans les sciences humaines et plus particulièrement dans une théorie du développement que des psychologues, des psychanalystes et des sociologues ont d'abord élaborée à partir de l'enfant et parfois étendue à l'ensemble de la vie humaine. Beaucoup de gens se réfèrent à Erikson, qui distingue huit phases dans le cycle de la vie, chacune étant le résultat d'une crise entre l'état physique de l'individu et l'évolution de ses expériences sociales. Pour la dernière période, appelée maturité, l'enjeu de la crise se situe entre l'intégrité du moi et le désespoir: son dénouement heureux aboutit au renoncement et à la sagesse.

Plusieurs aspects de cette théorie du développement me gênent quand on l'applique à l'âge adulte. Qu'on arrive à distinguer des phases dans la vie de l'enfant selon le rythme de sa croissance, oui. Mais qu'en est-il quand il s'agit de l'ensemble de la vie? Les spécialistes ne cessent de rappeler que le vieillissement varie selon les individus et même selon les organes. Comment, dans ces conditions, trouver des constantes significatives d'un âge donné? Elles ne peuvent être qu'approximatives[5]. Xavier Gaullier remarque, lui, que la psychologie du développement «se situe mal entre la complexité du social et la dynamique de la personnalité[6]». Quant aux crises évoquées par Erikson, elles portent à partir de l'âge adulte sur des aspects tellement vastes de la vie des gens qu'on peut se demander si elles sont vraiment significatives.

Au reste, comment l'individu peut-il croître sans cesse à travers les multiples aléas de la vie? Il y a dans l'existence des hauts et des bas, ou, comme le dit Montaigne, des *croists* et des *décroists*. C'est déjà heureux si, à travers les chocs, les accidents et les pertes, l'organisme et la personnalité subsistent dans un équilibre relatif. Si donc on parle de croissance après vingt ans, ce ne peut être que par rapport à un objectif que l'on se donne, comme l'acquisition d'une compétence ou d'une sagesse. Mais l'une et l'autre peuvent varier à l'infini. Certes, s'il est aisé de mettre un nom sur une compétence, il est plus difficile de reconnaître dans la sagesse le concept-clé qui a présidé à une existence et a donné naissance à un art de vivre. Et pourtant, il importe de le trouver, car c'est par rapport à cette idée qu'on pourra parler de croissance. Il n'y a pas de sagesse qui résulterait uniquement de l'accumulation des ans et même d'expériences apparemment très riches. Je me rappelle qu'Alquié évoque dans son petit livre *L'expérience* le cas d'une personne qui avait, paraît-il, parcouru le monde et vécu des expériences multiples et variées. Alquié voulut la rencontrer. Quelle ne fut pas sa déception de se trouver devant quelqu'un d'extrêmement banal qui n'avait profité d'aucune façon de ses expériences. C'est toujours par la réflexion sur son vécu et par l'éclairage que cette réflexion projette sur sa vie que l'on acquiert une sagesse dans laquelle on peut croître. Pour le saint, cette sagesse s'appelle folie de la croix, pour un Montaigne, c'est le stoïcisme qu'il accommode à sa façon, pour chacun ce peut être l'autonomie ou l'intégration, ou la liberté, ou, pour Erikson, le développement de la personnalité. Pourquoi pas?

Je n'ai rien contre, à condition qu'on n'érige pas son programme personnel en impératif universel. Il est des gens qui ne se reconnaissent pas du tout dans les concepts mis à la mode par les sciences humaines de notre époque: faudra-t-il les écarter d'un art de vivre et de bien vieillir?

Quelques remarques encore sur la notion de croissance. J'ai déjà évoqué plus haut les difficultés théoriques à élaborer scientifiquement une structure de croissance valable pour le vieillissement de tous et de chacun. Qu'en est-il si quelqu'un se fixe une règle de croissance selon la sagesse de son choix? Si cette idée le stimule, tant mieux. Mais qu'il soit indulgent pour lui-même. La vie n'est pas un programme. Même Montaigne qui supportait stoïquement la souffrance n'en condamnait pas pour autant les plaintes qu'elle pouvait lui arracher: «soupirs, sanglots, palpitations, pâlissements que Nature a mis hors de puissance». Tout comme la personnalité se transforme à travers les avatars de la vie, il n'est pas de sagesse si absolue qu'elle soit définie d'un seul coup. C'est plutôt en résolvant ponctuellement les problèmes provoqués par les vicissitudes de l'âge que se dessine cette sagesse que l'on s'approprie tout doucement. Parfois certains accidents de parcours, des événements tragiques, font éclater les paramètres de cette sagesse journalière; il faut les réarticuler et parfois trouver un concept autre pour rendre sa vie à nouveau signifiante. C'est à la façon dont il a su opérer ces virages que le Dr Tournier attribue sa jeunesse de cœur. Si Pierre Guillet parle de l'âge comme d'une aventure, c'est justement à cause de la part d'inconnu que recèle toujours une vie singulière, même lorsqu'on acquiert des connaissances sur le parcours des âges et des temps sociaux. On a peut-être plus de prise sur sa compétence, sur sa carrière, sur le savoir en général... et encore! Aussi bien la conscience du vieillissement que je suggère afin de pouvoir composer avec le temps ne donne pas lieu à une science, mais à un art de vivre qui doit sans cesse se renouveler. Encore Montaigne: «La grandeur de l'âme n'est pas tant tirer à mont et tirer avant comme savoir se ranger et circonscrire [...] Il n'est rien si beau et si légitime que de faire bien l'homme et dûment, ni science si ardue que de bien et naturellement savoir vivre cette vie; et de nos maladies la plus sauvage c'est mépriser notre être [...] C'est une absolue perfection, et comme divine, de savoir jouir loyalement de son être.»

Y a-t-il encore place pour la passion dans l'art de bien vieillir? Oui, selon le dynamisme et les forces de chacun! Passion de l'artiste pour son œuvre, dont plusieurs ont témoigné jusqu'à la fin. Passion de la vie et de l'être, dont parlent quelques penseurs et plus récemment le romancier Simenon. Mais pour s'accomplir, cette passion ne requiert pas nécessairement le mouvement, le déplacement, l'action. Le regard et la contemplation peuvent lui suffire. Dans une interview parue dans *Le Monde* intitulée «Le vieil homme et la mouette», on demanda à l'inventeur de Maigret, peu de temps avant sa mort: «Avez-vous encore des émotions? — Oui... quand je vois par exemple une mouette installée sur un parapet, regardant passer les gens, je me dis: "Qu'est-ce qu'elle pense?"» Voilà tout Simenon. Il n'écrit plus, mais son univers l'habite toujours. Il continue de voir le réel avec les yeux qui lui inspirèrent l'ensemble de son œuvre.

À tout âge, pouvoir regarder le monde et le temps qui passe à tire-d'aile. Tantôt intensément, tantôt légèrement. Vivre sa vie, au rythme des saisons, sous une forme poétique, comme un haïku, ce poème japonais que l'on cisèle.

NOTES de l'introduction

1. «L'âge et la vie». Les expressions constituent le thème du numéro de la revue *Critère*, automne 1976, nº 15.
2. Émission *Champs-Élysées*, à la télévision française, 9 avril 1988.

NOTES de la première partie

1. Octavio Paz, *Une planète et quatre ou cinq mondes*, Folio/Essais, nº 20, Paris, Gallimard, 1985, p. 34.
2. Bernadette Veysset, *Dépendance et vieillissement*, Paris, L'Harmattan, Logiques sociales, 1989, p. 101-104.
3. *Ibid.*, p. 104-105.
4. *Ibid.*, p. 103.
5. *Ibid.*, p. 105-106.
6. «Notre attitude à l'égard de la mort», dans *Essais de psychanalyse*, Paris, P.B.P., nº 44, 1990, p. 253.
7. *Essais sur l'histoire de la mort en Occident*, Paris, Seuil, 1975, et *L'homme devant la mort*, Paris, Seuil, 1977.
8. Cité par Ariès dans *L'homme devant la mort*. Pour plus d'information, cf. p. 112-118.
9. Jankélévitch, *La mort*, Paris, Champs Flammarion, 1977, p. 194.
10. Montaigne, *Essais*, La Pléiade, Paris, Gallimard, 1962.
11. Il est intéressant de noter l'importance que Baudrillard prête à la Réforme dans notre idée moderne de la mort : «C'est avec le XVIe siècle que cette figure moderne de la mort se généralise. Avec la Contre-Réforme et les jeux funèbres et obsessionnels du Baroque, mais surtout avec le protestantisme qui en individualisant les consciences devant Dieu, en désinvestissant le cérémonial collectif, accélère le processus d'angoisse individuelle de la mort.» «L'économie politique et la mort», dans *Traverses*, nº 1, p. 18.
12. Alphonse de Chateaubriand, *La vie de Rancé*, Paris, 10-18, 1965, p. 103.

144

13. Ariès, *Essais sur l'histoire de la mort en Occident*, Paris, p. 47.
14. Cité par Ariès dans *L'homme devant la mort*, p. 387.
15. Cité par J.-P. Bois, «De Montaigne aux premières retraites», dans *Les vieux*, Paris, Fayard, 1989, p. 271. J'emprunte surtout à cet auteur mes références sur le Romantisme.
16. *Ibid.*
17. Ariès, *L'homme devant la mort*, p. 577.
18. Claude Balier, «Les fondements psychologiques de l'image dévalorisée de la vieillesse», dans *Gérontologie*, n⁰ 20.
19. Bataille, *Les larmes d'Éros*, Paris, Pauvert, 1961 et 1981, p. 61.
20. Cf. mon article «Mythes et fontaines de Jouvence», dans la revue *Gérontologie et société*, n⁰ 51, Paris, p. 5 à 11.
21. Jean 5, 24-26, et 11, 25-56.
22. Cité par Simone de Beauvoir dans *La vieillesse*, Paris, Gallimard, collection Idées, 1979, p. 148.
23. Cf. J.-P. Guitton, *Naissance du vieillard*, Paris, Aubier, 1988, p. 30.
24. Cf. mon article dans *Gérontologie et société*, p. 8.
25. Faut-il évoquer ici le désir de métamorphose que Bachelard a découvert dans *Les chants de Maldoror* de Lautréamont comme le principal obstacle à l'intelligence de l'objet biologique? De plus, le désir d'immortalité et de jeunesse éternelle rejoint celui de la métamorphose où l'humain apparaît «comme une somme de possibilités vitales, comme un suranimal».
26. Xavier Gaullier, *La deuxième carrière*, Paris, Seuil, 1988, cf. ch. 6.
27. Pour Neugarten, c'est une nouvelle génération de retraités, ceux qui aujourd'hui ont entre cinquante et soixante-quinze ans et qu'on a appelés les «jeunes vieux», qui a promu le modèle activiste dont les caractéristiques en termes de santé, d'instruction, de ressources, d'aspirations culturelles et sociales sont différentes des générations précédentes. A.-M. Guillemard accorde une importance spécifique dans l'implantation de ce modèle à l'apparition de nouvelles couches moyennes salariées (techniciens, cadres moyens, ingénieurs). «Ces nouvelles couches moyennes parviennent à la retraite avec un système extensif de protection sociale — reflet de leur position qualifiée dans le système de production. De plus, elles associent à l'âge des caractéristiques in-

habituelles (comme le bon état de la santé, la disposition d'un certain niveau de ressources et d'aptitudes) résultant de la position qu'elles ont occupée antérieurement dans le processus de production. Enfin, elles manifestent un niveau élevé d'aspirations à la mesure de leur position sociale.» «À propos de la nouvelle représentation de la vieillesse», *Gérontologie*, n⁰ 28.

28. B. Sheehy, *Les passages de la vie, les crises prévisibles de l'âge adulte*, Paris, Belfond, 1977.
29. E.H. Erickson, *Childhood and Society*, seconde édition, New York, W.W. Norton, 1963.
30. M. Philibert, *L'échelle des âges*, Paris, Seuil, 1967.
31. Stanley Hall, *Senescence: The Last Half of Life*, New York, 1922.
32. Nicole Benoît-Lapierre, «Le continent gris», dans *Communication,* n⁰ 37, p.1.
33. Cf. H. Bianchi, «Psychanalyse du temps et du vieillissement», *Le moi et le temps,* Paris, Dunod, 1987. *La question du vieillissement, perspectives analytiques*, (livre en collaboration), Paris, Dunod, 1989. Claude Balier a écrit de nombreux articles sur ce sujet.
34. La revue *Gérontologie*, publiée sous la direction de M. Philibert, est remarquable à cet égard. À signaler aussi la réflexion qu'y fait ce philosophe sur le concept de gérontologie proprement dite.
35. *La mort*, p. 212.
36. *Ibid.*, p. 215.
37. C. Balier, dans *Gérontologie*, n⁰ 20, p. 39.
38. *Ibid.* L'auteur parle de la peur «d'êtres terrorisants, susceptibles de nous tuer, de nous dévorer, de nous anéantir».
39. Canguilhem, *La connaissance de la vie*, Paris, Hachette, p. 105.
40. *Ibid.,* p. 45.
41. Dʳ P. Guillet, *L'aventure de l'âge*, Paris, Hatier, 1980, p. 53.
42. Cf. «Éloge de la vieillesse», dans *Introduction à la psycho-gériatrie*, sous la direction de I. Simeone et G. Abraham, SIMEP, Bruxelles, 1984, p. 13.
43. Cité par Canguilhem, *ibid,* p. 150.
44. H. Bianchi, *Le moi et le temps*, p. 54.
45. *Ibid,* p. 51-52.

46. *Ibid,* p. 54.
47. *Ibid,* p. 55.
48. *Ibid,* p. 509-121.
49. *Ibid,* p. 118.
50. *Ibid,* p. 115.
51. Cf. «Au-delà du principe du plaisir», dans *Essais de psychanalyse*, Paris, surtout le ch. 4, et *Malaise dans la civilisation*, dans une nouvelle traduction de la NRP, Paris, 1970.
52. Cf. Pierre Bertrand, *L'oubli*, Paris, PUF, 1975.
53. Programme de recherche en gérontologie de l'Université de Sherbrooke.
54. Pour ma part, je rattache le développement de la sagesse à un choix philosophique plutôt qu'au dynamisme de l'être, même si celui-ci est préalable à ce développement.

NOTES de la deuxième partie

1. Cité par Simone de Beauvoir dans *La vieillesse*, t.2, p. 137.
2. Jankélévitch, *La mort*, p. 191.
3. *La vieillesse*, t.2, p. 154-156.
4. *Ibid.*, p. 155.
5. Jankélévitch, *La mort*, p. 198-199.
6. *Ibid.*, p. 199.
7. Paul Tournier, *Apprendre à vieillir*, Neuchâtel, Delachaux et Nestlé, 3ᵉ éd., 1981, p. 208.
8. Exposition de la Fondation Maeght, à St-Paul-de-Vence, l'été 1988.
9. B. Vessey, *op. cit.*, p. 20.
10. *Vieillir en beauté*, Montréal, Le Jour, 1983 (traduction de *Avoid the Aging Trap*, Acropolis Book Ltd., 1982). Ce livre n'est pas sans intérêt même s'il est marqué par un parti-pris de jeunesse («Décidez de rester jeune» en est le sous-titre) qui reflète l'idéologie de notre époque.
11. *Op. cit.*, p. 241.
12. Romain Gary, *Au-delà de cette limite, votre ticket n'est plus valable*, Paris, Gallimard, Folio, p. 25.
13. *Ibid.*, p. 34.
14. *Ibid.*, p. 164.
15. *Ibid.*, p. 148.
16. *Ibid.*, p. 260.
17. *Ibid.*, p. 233.
18. Ce sujet a été abondamment traité depuis une vingtaine d'années. Je ne cite ici que le livre du docteur Gilbert Tordjman, *La femme et son plaisir*, Paris, Éd. Club de France.
19. Mara, *Journal d'une femme soumise,* Paris, Flammarion, 1979.
20. Benoîte Groult, *La part des choses*, Paris, Grasset, 1972.
21. *Ibid.*, p. 89.
22. Maximienne Levet-Gautrat raconte cette histoire, empruntée au livre de Christiane Jomain, *Mourir dans la tendresse*, Centurion, 1984, dans «Sexualité des personnages âgés et environnement social», *Gérontologie et Société*. M. L.-G. rattache la répression sociale et familiale de la sexualité des aînés à l'édit qui les condamne à la non-activité généralisée: ils doivent passer pour que les jeunes soient. Autrement,

148

c'est le monde renversé. Faut-il voir là la peur de la toute-puissance parentale qu'on a subie étant enfant?
Mais il y a peut-être à cette répression une autre raison. La même qui inspire la crainte des gens mûrs relativement à leur propre sexualité: la fidélité à un modèle idéal de performance et de séduction.

23. Cf. *Le temps retrouvé*, juillet-août 1988.
24. *Le Monde*, 172-83.
25. Cf. *Notre temps*, mars 1987.
26. *Le rapport Hite (pour hommes)*, Paris, Robert Laffont, Coll. Réponses, 1982, p.783.
27. *Le rapport Hite (pour femmes)*, Paris, Robert Laffont, Coll. Réponses, 1977.
28. *Op. cit.*
29. Edward Brecher et les éditions du Rapport de l'union des consommateurs des États-Unis, *Rapport sur l'amour et la sexualité après 50 ans*.
30. Jacques Ruffié, *Le sexe et la mort*, Éd. Odile Jacob, Paris; Seuil, Coll. Point, p. 183.
31. Surtout dans *Malaise dans la civilisation.*
32. H. Marcuse, *Éros et civilisation*, Paris, Éd. de Minuit, 1963, p.12.
33. *Ibid.*, p. 12.
34. Ronsard, *Oeuvres complètes*, La Pléiade, «Sonnets pour Hélène», Paris, Gallimard.
35. *La force des choses*, Paris, Gallimard, Livre de poche, p. 603.
36. *Op. cit.*
37. *Gérontologie et société*, mars 1973, p. 16-20-37.
38. Muriel Oberleder, *op. cit.,* p. 230.
39. Christiane Rimbaud, *Pinay,* Paris, Perrin, 1990, p. 450.
40. M. Brisson *et al.*, *Un bouquet de narcisse(s)*, Montréal, L'Hexagone, 1991.
    G. Lipovetsky, *op. cit.*
    R. Sennett, *Les tyrannies de l'intimité*, Paris, Seuil, 1979.
    C. Lasch, *Le complexe de Narcisse*, Paris, R. Laffont, 1986.
41. *La marche du siècle*, «Les adolescents», sur TF3, le 3 avril 1990, et *Le Figaro*, 3-4 avril 1990.
42. M. Brisson, L. Poissant, *Célibataires, pourquoi pas?*, Québec, Collectif, Serge Fleury éd., 1980.
43. B. Veysset, *op. cit., L'habitation*, p. 31-56.

44. Expression des sociologues pour désigner en gros les trente années de croissance économique qui ont suivi la guerre de 1939-45.
45. Xavier Gaullier, *op. cit.*, p. 295-313.
46. Pierre Bertrand, *op. cit.*, p. 20.
47. *L'irréversible et la nostalgie*, Champs, n° 123, Flammarion, 1974, p. 368.
48. *Ibid.*, p. 370.
49. Il faut se référer dans le livre de Joyce à la nouvelle *Les morts*, et au film de Huston, fidèle au texte de l'auteur.
50. J. Kristeva, *Soleil noir*, Paris, Gallimard, 1987.
51. *Ibid.*, p. 14.
52. *Ibid.*
53. Folio-Essais, p. 146-147.
54. Mishara et Riedel, *Le vieillissement*, Paris, PUF, 1984 et 1985, p. 96-98.
55. *Ibid.*, p. 98-103.
56. M. Levet-Gautrat, «Faut-il des universités du 3e âge?», dans le numéro de *Gérontologie et société* consacré à ce sujet en 1986.
57. Tiré d'une entrevue réalisée par Huguette O'Neil pour la revue *Châtelaine*, novembre 1985, p. 25-26.

NOTES de la conclusion

1. *Op. cit.*, p. 13.
2. Cité par X. Gaullier, *op. cit.*, p. 202.
3. *Op. cit.*, p. 20.
4. *Op. cit.*, p. 21.
5. La mémoire ferait-elle exception? Les travaux du psychologue Yves Ledanseur inciteraient à le croire. N'y aurait-il pas une histoire de la mémoire? Ce qu'elle semble perdre en faculté d'accumulation au cours de l'âge, ne le gagne-t-elle pas en faculté d'intégration, d'identité? Mais lui-même, après une vaste enquête en collaboration avec le mensuel *Notre temps*, se garde de toute généralisation, les 550 réponses reçues ne

pouvant être représentatives de la population française. Cf.
La mémoire après 55 ans, document réalisé par Y. Ledanseur
et J. Maslowski, pour *Notre Temps*, 1987-1988.
6. *Op. cit.*, p. 215.

TABLE DES MATIÈRES